BIBLIOGRAPHIE DES ETUDES

SUR G. FLAUBERT

(1921–1959)

D1486646

D. J. COLWELL

BIBLIOGRAPHIE DES ETUDES

SUR G. FLAUBERT

(1921–1959)

RUNNYMEDE BOOKS

RHBNC, Egham, Surrey, England TW20 OEX

1988

Typeset by D. J. Colwell with the use of Philip Taylor's 'PreTEX', Donald E. Knuth's 'TEX' and the facilities of the Computer Centre at Royal Holloway and Bedford New College.

PRINTED BY CASTLE CARY PRESS, SOMERSET

ISBN 1 870725 01 8

TABLE DES MATIERES

Introduction

Cette Bibliographie répond au besoin des spécialistes de Flaubert d'avoir un répertoire du très grand nombre d'écrits relatifs à Flaubert publiés entre 1921 et 1959, et est complémentaire à la Bibliographie des années 1960-1982. Un autre tome (1857-1920) est en cours de préparation. J'ai tâché d'être exhaustif: les études principales françaises, anglaises, américaines, italiennes, et espagnoles sont répertoriées.

Je veux remercier ceux qui ont donné des renseignements et des conseils: M. C. Smith, J. D. Barron, H. Cockerham, P. Taylor et S. J. Eaton de Royal Holloway and Bedford New College, University of London; N. Rinsler et A. Green de King's College, University of London; R. M. A. Mellor, G. A. Plow et P. Underwood de University College School. Je suis également profondément reconnaissant du concours précieux offert par les bibliothécaires des institutions suivantes: British Library; University of London Library; Taylor Institute, Oxford; University of Cambridge Library; Bibliothèque Nationale, Paris. Une bourse de la British Academy a beaucoup aidé ce travail.

Comment utiliser cette Bibliographie

Les écrits sont classés par année et par ordre chronologique. Pour chaque année une liste des éditions les plus importantes des œuvres de Flaubert est suivie par les études critiques et biographiques rangées par ordre alphabétique. Les plus notables de ces études sont suivies d'une liste de comptes rendus, également par ordre chronologique.

L'index est divisé en quatre parties:

Auteurs
Illustrateurs et graveurs
Matières
Périodiques

Le lecteur voulant trouver, par exemple, un article sur les relations littéraires de Flaubert et Henry Monnier trouvera dans l'index des Matières une référence à Monnier dont le numéro est 933026. Dans la liste des articles pour l'année 1933 on trouve l'article suivant:

933026   Melcher, Edith: F' and Henry Monnier: a study of the bourgeois. Ds: *MLN*, XLVIII (March '33) 156-162

Edith Melcher est l'auteur de l'article intitulé 'Flaubert and Henry Monnier: a study of the bourgeois' et qui a été publié dans la revue *Modern Language Notes* (dont l'abréviation est signalée dans la section 'Sigles et Abbréviations' à la page 7), tome XLVIII (mars 1933) entre les pages 156 et 162.

Sigles et Abbréviations

Les Amis de F'	Bulletin des Amis de F'
CL	Comparative Literature
CN	Les Cahiers Naturalistes
DA	Dissertation Abstracts International
Ds	dans
FL	Le Figaro Littéraire
FR	The French Review
FS	French Studies
GRM	Germanisch-romanische Monatsschrift
IL	L'Information Littéraire
KN	Kwartalnik Neofilologiczny
KR	Kenyon Review
Ldn	London
LE	Le Livre et l'Estampe
Mercure	Mercure de France
MLN	Modern Language Notes
MLQ	Modern Language Quarterly
MLR	Modern Language Review
NL	Les Nouvelles Littéraires
n.s.	nouvelle série
OL	Orbis Litterarum
PMLA	Publications of the Modern Language Association of America
Ps	Paris
Revue Bleue	Revue Politique et Littéraire. Revue Bleue
RHLF	Revue d'Histoire Littéraire de la France
RLC	Revue de Littérature Comparée
RLMC	Rivista di letterature moderne e comparate (Firenze)
RLV	Revue des Langues Vivantes
RSH	Revue des Sciences Humaines
RR	The Romanic Review
s.d.	sans date
SF	Studi francesi
s.l.	sans lieu
SR	Sewanee Review
TLS	The Times Literary Supplement
VL	Vie et Langage
ZFSL	Zeitschrift für französische Sprache und Literatur

Editions

921001 *Œuvres complètes illustrées de F'.* Edition du Centenaire. Ps: F. Sant'Andrea et L. Marcerou. Librairie de France, '21 -'25.

Madame Bovary. Illustrations de Pierre Laprade, '21. 457p.

Salammbô. Illustrations de Alfred Lombard. *Voyage à Carthage.* Notes diverses. '22. 427p.

L'Education sentimentale. Illustrations d'André Dunoyer de Segonzac, '22. 515p.

La Tentation de Saint Antoine. Illustrations de Pierre Girieud. *Smarh. La Danse des Morts. Rêve d'enfer.* '22. 398p.

Bouvard et Pécuchet. Illustrations de Bernard Naudin. *Le Dictionnaire des idées reçues. Album. Une Leçon d'histoire naturelle (genre commis). Préface aux 'Dernières Chansons' de Louis Bouilhet. Lettre à la Municipalité de Rouen.* '23. 404p.

Premières Œuvres. 183...-1842. '23. 462p.

Par les champs et par les grèves. Pyrénées. Corse. Illustrations de Georges Dufrenoy. 316p. *L'Education sentimentale, 1843-1845.* Illustrations d'André Favory. 287p. '24.

Trois contes. Un Cœur simple. Illustrations de Félix Vallotton. *Hérodias.* Illustrations de René Piot. *La Légende de Saint Julien L'Hospitalier.* Illustrations de Antoine Bourdelle. 110p. *Théâtre. Le Candidat. Le Château des Cœurs. Le Sexe faible. Louis XI. La Découverte de la Vaccine. Pierrot au Sérail. Une Nuit de Don Juan.* 460p. '24.

Correspondance I. 1829-1852. Texte revisé et classé par M. René Descharmes. Portraits gravés sur bois par M. Achille Ouvré. '22. 509p.

Correspondance II. 1853-1863. '23. 591p.

Correspondance III. 1864-1876. '24. 713p.

Voyage en Orient. 1849-1851. 400p. *Correspondance IV. 1877-1880.* 312p. '25.

921002	*Bibliomanen.* Drei Erzählungen von Nodier, F', Asselineau. Wien; Leipzig: Avalun-Verlag, '21.

921002   *Bibliomanen.* Drei Erzählungen von Nodier, F', Asselineau. Wien; Leipzig: Avalun-Verlag, '21.

921003   *Bücherwahn.* Novelle von F'. Deutsch von Richard von Schaukal. Jena: Landhausverlag, '21. 19p.

921004   *La Légende de Saint Julien L'Hospitalier.* Ornée de vingt-six compositions dessinées et gravées sur bois par Guy Dollian. Ps: Imprimerie Emile Fequet, '21. 68p.

921005   *Madame Bovary.* Berlin: Internationale Bibliothek, '21. 390p.

921006   *La Signora Bovary.* Traduzione di Decio Cinti. Milano: Sonzogno, '21. 328p.

921007   *Salammbô.* Edition définitive avec des documents nouveaux. Ps: Charpentier-Fasquelle, '21. 379p.

Correspondance

921008   *Briefe. 1871–1880.* Versuche einer Chronologie. Halle: Niemeyer, '21. iv, 65p. (Edition de Benno Nesselstrauss.)

921009   Neuf lettres inédites. Ds: *Revue de France* (1 septembre '21) 43–67

921010   Une lettre inédite de F'. Ds: *Le Gaulois* (10 décembre '21) 3. (Lettre du 17 septembre 1846, à Louise Colet.)

921011   Lettre à ma nièce. Ds: *Les Annales politiques et littéraires,* LXXVII (juillet–décembre '21) 532–533

Critique

921012   Adam, Paul: En l'honneur d'un centenaire. F' jugé par Paul Adam. Ds: *Le Figaro* (10 décembre '21) Supplément littéraire

921013   André-Marie, P.: F'. Le cortège de la vierge héroïque. (Pastiche). Ds: P. André-Marie: *Les écrivains normands. Parodies et pastiches.* Rouen: Defontaine, '21, 53–60

921014   Aubade, Raoul: Un personnage de *Madame Bovary* dans l'Oise. Ds: *La République de l'Oise* (13 décembre '21). Aussi ds: *Beauvais, Ville d'Art,* 3 (mai '71)

921015   Baroche, Mme Jules: [Notes et souvenirs sur *Salammbô.*] Ds: Mme J. Baroche: *Second Empire.* Ps: Crès, '21, 220

921016   Bauër, Gérard: F' chez lui. Ds: *L'Echo de Paris* (15 décembre '21) 4

921017   Baumgartner, F. F.: Der 100. jährige F'. Ds: *Vossische Zeitung* (11. Dezember '21)

921018   Beaume, George: Le maître de Croisset. Ds: *Le Figaro* (10 décembre '21) Supplément littéraire

921019   Beaume, George: Chez F'. Ds: *Le Gaulois* (10 décembre '21) 3. Aussi ds: *L'Opinion* (13 octobre '28)

921020   Bellesort, André: Etudes et Figures. F'. Ds: *La Revue Française* (5 juin '21)

921021   Bertaut, Jules: F' et George Sand. Ds: *Le Temps* (1er décembre '21) 1

921022   Bertrand, Louis: *F' à Paris ou le mort vivant.* Ps: Grasset, '21. 225p. Edition avec des bois originaux d'Hermann Paul. Ps: A. Delpeuch, '27. 193p.

921023   — Souday, Paul: F' à Paris. Ds: *Le Temps* (19 décembre '21) 1

921024   — Dubosc, Georges: CR. Ds: *Journal de Rouen* (23 janvier '22) 4

921025   — Maury, Lucien: Les Œuvres et les Idées. De F' à Paul Adam. Ds: *La Revue Bleue* (7 janvier '22) 55–58

921026   Bertrand, Louis: L'œuvre de F'. Ds: *L'Echo de Paris* (15 décembre '21) 4

921027   Bertrand, Louis: Pour le centenaire de F'. Discours à la nation africaine. Ds: *Revue des Deux Mondes* (1er décembre '21) 481–496

921028   Bertrand, Louis: F' chez Mme Z... Ds: *La Revue Hebdomadaire* (10 décembre '21) 131–144. Aussi ds: L. Bertrand: *F' à Paris.* Voir 921022

921029   Bonnamour, Georges: F'. Ds: *L'Eclair* (12 décembre '21) 1

921030   Boulenger, Jacques: F' et le style. Ds: *Revue de la semaine* (19 août '21) 280–302; (26 août '21) 449–466. Aussi ds: J. Boulenger: *Mais l'art est difficile.* Ps: Plon, '21, t. II, 1–36

921031   Boulenger, Jacques: A propos du centenaire de F'.
           Ds: *L'Opinion* (31 décembre '21) 738–740. Aussi ds:
           J. Boulenger: *Le Tourisme littéraire*. Ps: La Nouvelle
           Revue Critique, '28, 44–80

921032   Bourget, Paul: Le centenaire de F'. Ds: *Les Annales
           politiques et littéraires*, LXXVII (juillet–décembre '21)
           531–532

921033   Bourget, Paul: A propos d'un centenaire. Ds: *Le Gaulois*
           (21 mai '21) 1

921034   Bourget, Paul: F' et le roman. Ds: *Le Gaulois* (10
           décembre '21) 3

921035   Bourget, Paul: La place de F' dans le roman français.
           Ds: *L'Illustration* (10 décembre '21) 556–558. Aussi ds:
           P. Bourget: *Nouvelles pages de critique et de doctrine.*
           Ps: Plon, Nourrit, '22, t. II, 52–64

921036   Bourget, Paul: Discours prononcé le 12 décembre '21
           à l'inauguration du buste de F' au Luxembourg. Ds:
           Les Amis d'Edouard, 37 ('21) 23p. Aussi ds: *La
           Revue Hebdomadaire* (24 décembre '21) 387–395. Ps:
           Champion, '22. 16p.

921037   Boyd, E.: F'. A Retrospect. December 1821– December
           1921. Ds: *The Independent*, CVII (31 December '21)
           340–341

921038   Boylesve, René: F' et *La Tentation de Saint Antoine.* Ds:
           Les Annales politiques et littéraires, LXXVI (janvier–juin
           '21) 465

921039   Brock, Rudolf: F' zum 100. Geburtstag. Ds: *Rheinisch-
           Westfälische Zeitung*, 1063 ('21)

921040   Céard, Henry: Le triomphe de la volonté. Ds: *Le Petit
           Marseillais* (11 décembre '21). (Sur la maladie de F'.)

921041   Chassé, Charles: Les styles physiologiques. F'. Ds: *La
           Grande Revue* (octobre '21) 101–105. Aussi ds : C.
           Chassé: *Styles et Physiologie. Petite histoire naturelle des
           écrivains.* Ps: Albin Michel, '28, 24–31. (Sur *Madame
           Bovary.*)

921042   Chauvelot, Robert: F' et Alphonse Daudet. Ds: *La
           Revue de France* (1er septembre '21) 43–66

921043   Clauzel, Raymond: CR de F': *Premières Œuvres*. (Ps: Fasquelle '20). Ds: *Eve* (17 avril '21)

921044   Corpechot, Lucien: La Gloire de F'. Ds: *Le Gaulois* (10 décembre '21) 3

921045   Curtius, Ernst Robert: F'. Ds: *Hannoverischer Kurier* (12. Dezember '21)

921046   Daudet, Léon: F' et le Flaubertisme. Ds: *Action Française* (23 mai '21) 1 (sur le centenaire de F' à Rouen); (10 décembre '21) 1 (sur le centenaire de F' à Paris). Repris ds: L. Daudet: *Ecrivains et artistes*. Ps: Editions du Capitole, '28, t.II, 113–122

921047   Delamare, Robert: Quelques souvenirs à propos de *Madame Bovary*. Ds: *Havre-Eclair* (24 mars '21). (Sur les origines de *Madame Bovary*.)

921048   Descharmes, René: *Le centenaire de F'. Autour de 'Bouvard et Pécuchet'. Etudes documentaires et critiques*. Ps: L. Marcerou, '21. 303p.

921049   — Beaunier, André: CR. Ds: *Revue des deux mondes,* VIII (1er avril '22) 691–703

921050   — Maynial, Edouard: CR. Ds: *RHLF* (septembre '22) 373

921051   Descharmes, René: F', Louis Bouilhet, Eugène Delattre et quelques amis. Ds: *La Revue de la semaine illustrée* (9 décembre '21) 147–179; (16 décembre '21) 327–352

921052   Deville, J.: Le patriotisme de F'. Ses sentiments et ses idées devant la guerre et l'invasion. Ds: *La Libre Parole* (13 décembre '21) 3

921053   Du Bos, Charles: Sur le 'milieu intérieur' chez F'. Ds *La Revue de la semaine illustrée* (9 décembre '21) 127–146. Aussi ds: C. Du Bos: *Approximations*. Ps: Plon, '22, 158–179. Nouvelle édition: Ps: Fayard, '65, 165–182. Aussi ds: *F'. Miroir de la critique*. Textes recueillis et présentés par Raymonde Debray-Genette. Ps: Firmin-Didot, '70, 56–70. (Sur l'expérience intime de F'; sur l'âpreté de l'art.)

921054   Dubosc, Georges: Le pavillon de l'Hôtel-Dieu où est né F'. Ds: *Journal de Rouen* (21 décembre '21) 3–4

921055   Dufay, Pierre: F' à Ry et les origines de *Madame Bovary*. Ds: *Mercure* (1er décembre '21) 566–568

921056   Dumesnil, René: F' et l'opinion. Ds: *Mercure* (1er décembre '21) 298–308

921057   Dumesnil, René: A propos d'une édition nouvelle de la *Correspondance* de F'. Ds: *Mercure* (15 novembre '21) 241–244

921058   Edschmid, Kasimir: F'. Ds: *Frankfurter Zeitung* (11. Dezember '21)

921059   Friedmann, W.: F'. Ds: *Leipziger Tageblatt* (11. Dezember '21)

921060   Fryer-Powell, A.: Sainte-Beuve and Matthew Arnold. Ds: *French Quarterly* (Manchester), III, 3 (September '21) 151–155. (Lettre de Sainte-Beuve sur *Salammbô*.)

921061   Gachot, E.: F' intime. Ds: *Le Figaro* (10 décembre '21) Supplement littéraire

921062   Gaultier, Jules de: La philosophie de la relation. Ds: *Mercure* (15 octobre '21) 289–305

921063   Geffken, Hanna: *Effi Briest* und *Madame Bovary*. Ds: *Das Literarische Echo*, XXIII ('21) Col. 523–527

921064   Georges, Emile: Trois amis de F'. Ds: *L'Echo de Paris* (15 décembre '21) 4

921065   Girard, Georges: Essai de bibliographie de F'. Ds: *Bulletin de la Maison du Livre* (septembre '21)

921066   Grand-Carteret, Jean: F' et son œuvre. Ds: *La Revue de la semaine* (9 décembre '21) 196–214

921067   Halévy, Daniel: F' à Paris. Ds: *L'Eclair* (13 décembre '21) 1

921068   Haraucourt, Edmond: Discours à l'inauguration du monument F'. Ds: *Le Temps* (13 décembre '21) 3–4. Aussi ds: *L'Information* (14 décembre '21) 1–2

921069   Haug, Gerhart: F'. Ds: *Deutsche Allgemeine Zeitung* (13. Dezember '21)

921070   Henriot, Emile: Le centenaire de F'. Ds: *La Revue de France*, I (15 mars '21) 161–169

921071   Hermant, Abel: F', Le Garçon et le Cheik... Ds: *Le Temps* (16 décembre '21) 3

921072   Hermant, Max: F'. Ds: *Le Correspondant,* CCLXXXV (10 décembre '21) 809–826

921073   Hofmiller, Josef: F'. Ds: *Münchner Neuste Nachrichten* (12. Dezember '21)

921074   Jennequin, Jules: Autour de *Salammbô.* Les cultes de Tanit et de Moloch. Ds: *Société havraise d'attitudes diverses,* 88e année ('21) 217–234

921075   Kliche, J.: F'. Ds: *Die Neue Zeit,* XL ('21) 261

921076   Lambert, Pierre M.: La source d'un chapitre de *Madame Bovary.* L'opération du pied bot. Ds: *Mercure* (1er juillet '21) 200

921077   Leroux, E.: F' à Ry. Ds: *Le Messager de Darnétal* (21 mai '21). Aussi ds: *La Chronique médicale* (1er janvier '22) 3–10; *Mercure* (1er décembre '21) 566; *L'Eclair* (12 décembre '21) 3

921078   Le Roy, Georges-A.: Notes et commentaires littéraires. Une déesse égyptienne de *Salammbô.* Ds: *Mercure* (1er décembre '21) 507–510

921079   Le Roy, Georges-A.: Le discours de réception du père de F' à l'Académie de Rouen. Ds: *Mercure* (1er décembre '21) 510–513

921080   Le Roy, Georges-A.: Chez F' à Croisset. Ds: *L'Illustration* (21 mai '21) 494–497

921081   Le Roy, Georges-A.: F' et Louis Bouilhet. Ds: *L'Illustration* (10 décembre '21) 571

921082   Le Roy, Georges-A.: Le centenaire de F' sera célébré aujourd'hui à Paris. Ds: *Le Petit Journal* (12 décembre '21) 1

921083   Leroy, Dr.: Madame Bovary a-t-elle existé? Ds: *Société havraise d'attitudes diverses,* 88e année ('21) 115–124. (Sur les origines du roman.)

921084   Levaillant, Maurice: Les revues et le centenaire. Ds: *Le Figaro* (10 décembre '21) Supplément littéraire

921085 Lloyd, J. A. T.: Dostoievski and F'. Ds: *Fortnightly Review*, CXVI (December '21) 1017–1026

921086 Lollis, Cesare de: F'. Ds: *NA* (16 dicembre '21) 328–345

921087 Lubbock, Percy: (F'. *Madame Bovary.*) Ds: P. Lubbock: *The Craft of Fiction*. Ldn: Cape, '21, 60–92. (Autres références à F': 118–119; 189; 269.) New York: Viking, '57, 60–76

921088 Martino, Pierre: Pour le centenaire de F'. *Salammbô* d'après quelques publications. Ds: *Revue de l'Afrique du Nord*, I, i (1er décembre '21) 149–169

921089 Mayenburg, L. von: Glossen zu F's 100. Geburtstag. Ds: *Neue Züricher Zeitung* (12. Dezember '21)

921090 Mazel, Henri: Les trois *Tentation de Saint Antoine*. Ds: *Mercure* (15 décembre '21) 626–643

921091 Meyer, E.: F' et Bouilhet. Ds: *Revue Universitaire,* II ('21) 363–370

921092 Mockel, Albert: Hommage à F'. Ds: *Le Flambeau. Revue belge des questions politiques*, III ('21) 473–477

921093 Mockel, Albert: Discours à l'inauguration du monument F'. Ds: *Le Temps* (13 décembre '21) 4

921094 Monnier, Pierre: F' coloriste. Ds: *Mercure* (1er décembre '21) 401–417

921095 Montorgueil, Georges: Au jour le jour. L'accusateur de *Madame Bovary*. Ds: *Le Temps* (10 mai '21) 4

921096 Morand, Paul: *Tendres Stocks*. Ps: Nouvelle Revue Française, '21. 157p. (Voir la Préface de Marcel Proust: 9–33. Sur F': 22–24)

921097 — Souday, Paul: CR. Ds: *Le Temps* (10 mars '21) 3

921098 Murry, J. Middleton: F'. Ds: *The Dial*, LXXI ('21) 625–636

921099 Neibecker, Alphonse: *F' à Paris*. Cracovie: Imprimerie Industrielle, '21. 15p. (Conférence)

921100 Neubert, F.: F'. Ds: *Leipziger Neuste Nachrichten* (11. Dezember '21)

921101 Nys, Raymond de: Le centenaire de F'. Ds: *L'Eclair* (13 décembre '21) 3

921102 Oudard, G.: F' et Louis Bouilhet. Ds: *L'Opinion* (28 mai '21) 594–595

921103 Ouvré, A.: F'. A portrait. Ds: *Arts and Decoration*, XVI (December '21) 101

921104 Palante, Georges: Le caractère de Frédéric Moreau. Ds: G. Palante: La Lenteur psychique. Ds: *Mercure* (1er juin '21) 321–322

921105 Passillé, G. de: F' et les sources de son talent. Ds: *Le Gaulois* (10 décembre '21) 3–4

921106 Primoli, Le Comte Joseph: F' chez La Princesse Mathilde. Souvenir d'une soirée à Saint-Gratien. Ds: *La Revue de Paris* (15 novembre '21) 306–315. Aussi ds: F': *Lettres inédites à La Princesse Mathilde*. Ps: Conard, '27, i–xvii

Proust, Marcel: Préface à P. Morand: *Tendres Stocks*. Voir 921096

921107 Rageot, Gaston: CR de F': *Premières Œuvres*. (Ps: Fasquelle, '20.) Ds: *Le Gaulois* (26 février '21) 4

921108 Rageot, Gaston: Le centenaire de F' et de Bouilhet. F' et les jeunes gens. Ds: *Le Gaulois* (21 mai '21) 3

921109 Richelieu: F' et Frédéric Masson. Ds: *L'Opinion* (28 mai '21) 595

921110 Rigny, Fernand: Le centenaire de F' et de Bouilhet. Ds: *Le Figaro* (22 mai '21) 3. (Sur un discours de M. Léon Bérard.)

921111 Robdel, Henri: *Madame Bovary*. Ds: *Havre-Eclair* (31 mars '21). (Sur les origines du roman.)

921112 Robert, Paul-Louis: Une première *Madame Bovary*. A propos de *Passion et Vertu*. Ds: *L'Opinion* (10 décembre '21) 662–663

921113 Roberts, R. Ellis: F'. Ds: *Bookman* (December '21) 141–143

921114 Rouault de La Vigne, René: Les ancêtres normands de F'. La noblesse des Cambremer de Croixmare. Ds: *Le Journal de Rouen* (24 décembre '21) 4

921115   Roz, F.: Le centenaire de F'. Ds: *La Revue Universelle* , VI ('21) 680–700

921116   Scheifley, W. H.: The centenary of F'. Ds: *The North American Review*, CCXIV ('21) 809–816

921117   Sonolet, Louis: L'Ermite de Croisset. Ds: *La Revue de la Semaine* (9 décembre '21) 180–195

Souday, Paul: CR de P. Morand: *Tendres Stocks*. Voir 921097

921118   Souday, Paul: F', Daudet, Goncourt. Ds: *Le Temps* (29 août '21) 1

921119   Souday, Paul: La lettre mystérieuse (de Frédéric Masson). Ds: *Le Temps* (30 mai '21) 1; (3 juin '21) 1

Souday, Paul: F' à Paris. CR de L. Bertrand: *F' à Paris ou le mort vivant*. Voir 921023

921120   Souday, Paul: Le centenaire de F'. Ds: *Le Temps* (12 décembre '21) 1. Aussi ds: P. Souday: *La Société des grands esprits*. Ps: E. Hazan, '29, 263–279

921121   Souday, Paul: *Madame Bovary*. Ds: *Le Temps* (15 décembre '21) 3

921122   Souday, Paul: Questions de style. Ds: *La Revue de Paris* (15 janvier '21) 381 et seq.

921123   Souday, Paul: F' et Bouilhet. Ds: *Le Temps* (23 mai '21) 1

921124   Souday, Paul: Le centenaire de F'. Ds: *La Revue de Paris* (1er décembre '21) 608–618

921125   Stern-Rubarth, E.: F' und die anderen. Ds: *Grenzboten*, LXXX ('21) 382

921126   Tavernier, Eugène: La Pensée de F'. Ds: *La Libre Parole* (11–12 décembre '21) 1. (Sur la pensée esthétique de F'.)

921127   Thibaudet, Albert: F'. Sa vie. Ses œuvres. Son style. Ds: *La Revue Hebdomadaire* (17 décembre '21) 259–288 (24 décembre '21) 396–411; (31 décembre '21) 531–546; (14 janvier '22) 158–187; (21 janvier '22) 301–319; (28 janvier '22) 454–472; (4 février '22) 74–101; (11 février '22) 208–225; (18 février '22) 344–362; (25 février '22) 467–478; (4 mars '22) 61–78; (25 mars '22) 463–485; (1er avril '22) 75–89. Ps: Plon, Nourrit, '22. 347p.; Nouvelle édition augmentée: Ps: Nouvelle Revue Française, '35. 320p.

921128 — Crémieux, Benjamin: CR. Ds: *NRF* (1er août '22) 222–225

921129 — Van Tieghem, P.: CR. Ds: *Litteris* (décembre '25) 206–212

921130 — Guichard, Louis: CR. Ds: *Bulletin des Lettres* (25 janvier '36)

921131 — Maurois, André: Thibaudet et le style de F'. Ds: *NRF* (1er juillet '36) 66–70

921132 — Maxence, Jean-Pierre: F'. Ds: *Gringoire* (10 janvier '36) 4

921133 — Glauser, Alfred: CR. Ds: A. Glauser: *Albert Thibaudet et la critique créatrice*. Ps: Editions contemporaines Boivin et cie, '52, 198–205

921134 Thibaudet, Albert: F' et Le Garçon. Ds: *L'Echo de Paris* (15 décembre '21) 4

921135 Toffanin, Giuseppe: F' critico e l'ultimo De Sanctis. Ds: *Cultura*, I ('21–'22) 12–15; 64–79. Aussi ds: G. Toffanin: *La Critica e il Tempo*. Torino: Paravia, '30, 1–43

921136 Valbelle, Roger: Opinion d'un magistrat (T. Lescouvé) sur le procès Bovary. Ds: *Excelsior* (30 mai '21) 2–3

921137 Vaudoyer, Jean-Louis: L'Iconoclastie de F'. Ds: *L'Echo de Paris* (15 décembre '21) 4. (Sur l'Exposition F' organisée à la Maison des Artistes par M. Pierre La Mazière.)

921138 Wendel, Herman: F' zu seinem 100. Geburtstag. Ds: *Die Glocke*, VII ('21) 1052–1055

921139 Wolff, M.: L'Amitié de F' et de Bouilhet. Ds: *Le Gaulois* (21 mai '21) 3

921140 Zarek, Otto: F's Tagebuchblätter. Ds: *Nationalzeitung* (20. April '21)

921141 XY: F' 1821–1921. Ds: *Nation,* CXIII ('21) 33–34

921142   XY: F', l'homme rouge. Ds: *Le Journal* (13 décembre '21) 4. (Sur les origines de *Madame Bovary*.)

921143   XY: A travers les lettres. Ds: *Le Journal* (13 décembre '21) 4. (Sur les célébrations du centenaire F'.)

921144   XY: Le centenaire de F'. Ds: *Le Figaro* (26 mai '21) 2

921145   XY: Le Monument de F'. Ds: *L'Illustration* (10 décembre '21) 558

921146   XY: Autour du centenaire de F'. Ds: *Journal de Rouen* (12 décembre '21) 1

921147   XY: L'Inauguration du monument F' à Paris. Ds: *Journal de Rouen* (13 décembre '21) 2

921148   XY: On a inauguré le monument de F'. Ds: *Le Petit Journal* (13 décembre '21) 4

921149   XY: Le centenaire de F'. Comités du patronage et d'initiative du centenaire de F'. Ds: *Mercure* (1er décembre '21) 562–563

921150   XY: Le Monument de F' par Clésinger. Avec une notice de Rémy de Gourmont. Ds: *Mercure* (15 novembre '21) 276

Editions

922001   *Bouvard et Pécuchet.* Minden: J. C. C. Bruns, '22. 480p. (Traduction par B. Huber.)

922002   *Salammbô.* Translated from the French. Introduction by B. R. Redman. Illustrated by Mahlon Blaine. Ldn: Chapman, '22. 362p.

922003   *Salammbô.* Traducción de Ciro Dayo. Madrid: Rivade-peyra, '22. 610p.

922004   *La Tentation de Saint Antoine.* Edition définitive, illustrée de gravures sur bois originales de Raphaël Drouart. Ps: G. Boutitie, '22. 245p.

922005   *(Voyage en Egypte.) Ägypten. 1849-1850.* Einzig autorisierte Ausg. von E. W. Fischer besorgt. Potsdam: Gustave Kiepenheuer Verlag, '22. 288p.

Autour de Flaubert

922006   *Centenaire de F'. Cérémonies du 12 décembre '21.* Ps: Renouard, '22. 47p et gravures

922007   Comment sont morts le père et la soeur de F'. Lettres de Berner, R. Dumesnil, Dr. Maljean, E. L. Ds: *La Chronique Médicale* (1er août '22) 244–246

922008   *The George Sand - F' Letters.* Translated by Aimee L. McKenzie. With an introduction by Stuart P. Sherman. Ldn: Duckworth, '22. xxxvii, 382p.

Critique

922009   Arnaud, P.: F', peintre de l'ennui. Ds: *L'Ane d'or,* 17–18 (octobre '22) 145–149

922010   Aulan, Gabriel d': L'œuvre critique de Rémy de Gourmont. Ds: *Mercure* (1er février '22) 609–610

         Beaunier, André: Autour de *Bouvard et Pécuchet.* CR de R. Descharmes: *Autour de 'Bouvard et Pécuchet'.* Voir 921049

922011   Bernoulli, Karl Albrecht: *Gedächtnisrede auf F'.* Basel: B. Schwabe, '22. 44p.

922012   Bisson, Philoxène: (F' ressuscité). Ds: *Marges* (janvier '22) 75–77

Bourget, Paul: F'. Voir 921036

Bourget, Paul: La place de F' dans le roman. Voir 921035

922013   Burke, K.: The *Correspondence* of F'. Ds: *The Dial*, LXXII ('22) 145–155

922014   Carrère, Jean: F': Ds: J. Carrère: *Les Mauvais Maîtres*. Ps: Plon-Nourrit, '22, 153–166. Déjà paru ds: *La Revue Hebdomadaire* (6 décembre 1902)

922015   Chaboseau, A.: Les ancêtres de F', tous champenois et tous vétérinaires. Ds: *Mercure*, 565 (1er janvier '22) 221–224

922016   Charpentier, Henry: F' à Paris, ou l'évocation sacrilège. Ds: *Marges* (avril '22) 301–304

922017   Coleman, Algernon: *Le Roman de la Momie* and *Salammbô*. Ds: *The French Quarterly*, IV (September '22) 183–186

922018   Coleman, Algernon: CR de L. F. Benedetto: *Le Origini di Salammbô*. (Firenze: Bemporad, '20. 333p.) Ds: *MLN*, XXXVII ('22) 175–180

Crémieux, Benjamin: CR d'A. Thibaudet: *F'*. Voir 921128

922019   Croce, Benedetto: F'. (Traduit par D. Ainslie.) Ds: *Mercury*, V ('22) 478–491. Article paru ds: *La Critica*, XVIII ('20) 193–203

922020   Daudet, Léon: Disjecta membra. Ds: *Action Française* (11 février '22) 1. (Sur F' et Barbey d'Aurevilly.)

922021   Daudet, Léon: *Le stupide XIXe siècle*. Ps: Nouvelle Librairie Nationale, '22. 312p. (Sur F': 110–114)

922022   Descaves, Lucien: La République et les Lettres. Ds: *La Lanterne* (15 février '22) 1. (Le gouvernement de la République a-t-il refusé à F' le poste de Bibliothécaire que demandaient pour l'écrivain ses amis?)

Descharmes, René: Notice, notes et classement de la *Correspondance* de F'. Edition du Centenaire. Voir 921001

922023   Doyon, René-Louis: F' pillé. Ds: *La Connaissance,* 22 (février '22) 991–992

Du Bos, Charles: Sur le milieu intérieur chez F'. Voir 921053

922024   Dubosc, Georges: Madame Bovary a-t-elle existé? Ds: *Le Journal de Rouen* (3 mai '22) 2

922025   Dubosc, Georges: Un don au Musée du Pavillon F'. Un dessin du Dr. Achille F'. Ds: *Journal de Rouen* (16 mars '22) 2

Dubosc, Georges: CR de L. Bertrand: *F' à Paris ou le mort vivant.* Voir 921024

922026   Dubosc; Georges: Le poète Louis Bouilhet et Mme Roger des Genettes. Ds: *Le Journal de Rouen* (9 août '22) 2

922027   Edschmid, Kasimir: *Hamsun. F'. Zwei Reden.* Hannover: Wolf Albrecht Adam Verlag, '22. 70p.

Fischer, E. W.: F'. *Ägypten. 1849–1850.* Voir 922005

922028   François, Alexis: Sur une particularité de la langue de F'. Ds: *Mélanges offerts par ses amis et ses élèves à M. Gustave Lanson.* Ps: Hachette, '22, 380–385

922029   Grey, Rowland: Concerning Emma Bovary. A centenary note. Ds: *The Fortnightly Review,* CXVII (February '22) 309–320. (Sur Emma Bovary et Becky Sharp : Thackeray: *Vanity Fair.*)

922030   Guérinot, A.: Maupassant et Louis Bouilhet. Ds: *Mercure* (1er juin '22) 379–385; 389–390

922031   Henriot, Emile: Chez F' à Croisset. Ds: E. Henriot: *Le Courrier littéraire.* Ps: Renaissance du Livre, '22, 142–150

922032   Henriot, Emile: Une dame des salons: Louise Colet. Ds: *Le Temps* (22 août '22) 2–3

922033   Hesse, Hermann: F': *Tagebücher.* Ds: *Wissen und Leben,* XV ('22) 842–844

922034   Jourdan, Louis: *Essai sur la névrose de F'.* Montpellier: Firmin, '22. viii, 39p.

922035   Lalou, René: F'. Ds: R. Lalou: *Histoire de la littérature française de 1870 à nos jours.* Ps: G. Crès, '22, 14–17

922036   Le Braz, Anatole: Sur l'origine du nom de Bovary. Ds: *Mélanges offerts par ses amis à M. G. Lanson.* Ps: Hachette, '22, 419–420

922037   Leguay, Pierre: A propos de deux travaux récents sur F'. Ds: *Marges* (octobre '22) 83–93. (Sur les ouvrages de R. Descharmes: voir 921048, et d'A. Thibaudet: voir 921127)

922038   Lerch, Eugen: F' und die Spiesser. Ds: *Berliner Tageblatt*, 388 (30. August '22)

922039   Martin-Chauffier, L.: Le centenaire de F'. Ds: *Lettres*, IV, 1 (1er janvier '22) 125–131

922040   Martin-Chauffier, L.: Lettre de F' à Louis Bouilhet (pastiche). Ds: *Lettres*, IV, 4 (avril '22) 675–680

922041   Maurevert, Georges: *Le Livre des Plagiats.* Ps: Fayard, '22. (D'Annunzio, Bataille, Mme. J. de La Vaudère plagiaires de F'.)

            Maury, Lucien: Les œuvres et les idées. De F' à Paul Adam. CR de L. Bertrand: *F' à Paris ou le mort vivant.* Voir 921025

922042   Maynial, Edouard: La genèse d'un épisode de *Madame Bovary*. Ds: *Mélanges offerts par ses amis et ses élèves à M. G. Lanson.* Ps: Hachette, '22, 426–429. (Sur le départ de Léon.)

922043   Maynial, Edouard: Maxime Du Camp, biographe de F'. Ds: *RHLF*, XXIX (juillet–septembre '22) 316–317. Aussi ds: E. Maynial: *F' et son milieu.* Ps: Editions de La Nouvelle Revue Critique, '27, 69–112

            Maynial, Edouard: CR de R. Descharmes: *Autour de 'Bouvard et Pécuchet'.* Voir 921050

922044   Montorgueil, Georges: M. Pinard et F'. Un réquisitoire célèbre. Ds: *L'Intermédiaire des Chercheurs et des Curieux* (10 janvier '22)

922045   Monval, Jean: F' et François Coppée, 1869–1880, d'après des lettres et des souvenirs inédits. Ds: *La Revue de France* (1er janvier '22) 217–224

922046   Moreau, Pierre: F' et *Madame Bovary.* Ds: *Bibliographie Universelle et Revue suisse*, CVI (mai '22) 137–156

922047   Murry, John Middleton: F's literary limits. Ds: *The Living Age*, CCCXII ('22) 227–234

922048   Nesselstraus, Benno: F's Werk. Ds: *Der Lesecirkel* (Hottingen), IX ('22) 81–85

922049   Pound, Ezra: Paris Letter. Ds: *The Dial*, 62 ('22) 332–337. Traduit sous le titre 'James Joyce et Pécuchet'. Ds: *Mercure* (1er juin '22) 307–320

922050   Robert, Paul-Louis: F' amoureux. Son *Education sentimentale.* Ds: *Journal de Rouen* (12 février '22) 4. (Sur F' et Elisa Schlésinger.)

922051   Romains, Jules: Hommage à F'. Ds: *Intentions,* 1er année, 3 (mars '22) 1–4

922052   Rouault de La Vigne, René: Les Fouet du Pays d'Auge et le Conseiller de Crémanville. Ds: *Journal de Rouen* (6 mars '22) 4. (Sur *Un cœur simple.*)

922053   Sandwith, Mrs H.: Becky Sharp and Emma Bovary. Ds: *Nineteenth Century and After*, XCI (January '22) 57–67

922054   Schaukal, Richard von: F' und Dostoievsky. Ds: *Hochland* , XIX ('22) 714–718

922055   Schurig, A.: Neue F'-Übersetzungen. Ds: *Das literarische Echo*, XXV ('22–'23) col. 271–275

922056   Souday, Paul: F' et le Régime. Ds: *Le Temps* (13 février '22) 1

922057   Souday, Paul: La République et les lettres. Ds: *Le Temps* (17 mars '22) 1. (Réponse à l'article de F. Vandérem. Voir 922063)

        Souday, Paul: CR d'A. Suarès: *Xénies.* Voir 922059

922058   Suarès, André: Où nous en sommes avec F'. Ds: *Comœdia* (15 octobre '22). Aussi ds: A. Suarès: *Xénies.* Ps: Émile-Paul, '23, 191–203

922059   — Souday, Paul: CR. Ds: *Le Temps* (20 octobre '22) 1

922060 — Souday, Paul: André Suarès: *Xénies.* Ds: *Le Temps* (5 janvier '23) 5

Thibaudet, Albert: *F'. Sa vie. Ses œuvres. Son style.* Voir 921127

922061 Vaillat, Léandre: F' et la mode. Ds: *Le Figaro* (17 juillet '22) 4

922062 Valkhoff, P.: Die drie verzoekin gen van F'. Ds: *Groot Nederland Letterkundig,* I ('22) 607–617; 715–734

922063 Vandérem, Fernand: Les lettres et la vie. Verlaine, Becque, F' et le régime. Ds: *La Revue de France* (15 mars '22) 386–397. Voir l'article de P. Souday: 922057

922064 Woodbridge, M.: F' and war brides. Ds: *MLN,* XXXVII ('22) 183–185

922065 XY: F'. A portrait. Ds: *Current Opinion,* LXXII (March '22) 383

922066 XY: Madame Bovary a-t-elle existé? Ds: *Journal des Débats* (16 avril '22) 1

922067 XY: La sœur de F'. Ds: *La Chronique médicale* (1er février '22) 53

Editions

923001   *Der Büchernarr.* Mit Lithographien von Alfred Kubin. Hannover; Leipzig; Wien; Zürich: Paul Steegman Verlag, '23. 51p. (Réimpression de l'édition parue en 1920.)

923002   *Salammbô.* Avec 6 hors-texte en couleurs et des ornements gravés sur bois par F.-L. Schmied. Ps: Le Livre, '23. 415p.

Correspondance

923003   Briefe an Louise Colet. Ds: *Neue Rundschau,* XXXIV (März '23) 259–269. (Lettres traduites par E.W. Fischer.)

Autour de Flaubert

923004   F' à Chenonceaux. Ds: *Chronique des Lettres françaises* (septembre–octobre '23) 641–646. Voir aussi: Charles Richard: *Chenonceaux et F'.* Tours: Deslis frères, 1887. 63p.

923005   *Le centenaire de F' et de Louis Bouilhet (Rouen, mai 1921).* Rouen: Defontaine, '23. 65p.

Critique

923006   Allenspach, Max: *F'. La Tentation de Saint Antoine. Eine literarästhetische Untersuchung.* Zürich: Braunfels Verlag, '23. 111p. (Thèse, Zürich.)

923007   Banville, Théodore de: *Les Camées parisiens. F'.* Ps: G. Crès, '23, 171–172

923008   Bertrand, Louis: *F', avec des fragments inédits.* Edition nouvelle, revue et corrigée. Ps: Ollendorf, '23. viii, 269p. (Paru en 1912. Ps: Mercure de France. 283p.)

923009   Bertrand, Louis: *A travers la librairie. Causeries françaises. Sixième causerie faite au Cercle de la Librairie le 13 avril '23. F'.* Ps: J. Dumoulin, '23, 97–117

923010   Brindjoint-Offenbach, J.: Avec F' et Maupassant. Ds: *Le Gaulois* (19 octobre '23) 1–2

923011   Carré, Jean-Marie: F' et Maxime Du Camp. Ds: J.-M. Carré: *Voyageurs et écrivains français en Egypte.* Le Caire: Imprimerie de l'Institut Français d'Archéologie Orientale, '23, t. II, 77–128

923012   Chevron, J.: A propos des ancêtres champenois de F' au XVIIIe siècle. Ds: *La Revue de Champagne* (octobre–décembre '23)

923013   Cœuroy, André: F' musicien. Ds: A. Cœuroy: *Musique et littérature*. Ps: Bloud et Gay, '23, 200–212. Article traduit en anglais sous le titre 'F' the musician' ds: *Musical Quarterly*, XII (July '26) 327–333

923014   Corpechot, Lucien: Les écrivains et leurs modèles. Ds: *Le Gaulois* (7 mai '23) 1. (Sur les origines de *Madame Bovary*.)

923015   Descharmes, René: La publication de *Salammbô*. Ds: *Marges* (juillet '23) 163–175; (août '23) 243–255

923016   Dubosc, Georges: Le Cabinet de travail de F' à Croisset. Ds: *Le Journal de Rouen* (6 avril '23) 2

923017   Dubosc, Georges: La Chambre natale de F' à l'Hôtel-Dieu. Ds: *Le Journal de Rouen* (30 avril '23) 2

923018   Dumesnil, René: F' et Musset. Ds: *Le Gaulois* (3 mars '23) 3

923019   Dumesnil, René: Notes et documents. A propos de la *Correspondance* de F'. Ds: *Mercure* (15 novembre '23) 241–244

923020   Fischer, E. W.: Der junge F'. Ds: *Der Speigel, Jahrbuch des Propyläen Verlags* ('23) 53–55

923021   Fontanta, Oskar M.: Ein Selbsporträt F's. Ds: *Das Tagebuch*, XLI ('23) 1007–1008

923022   Gaultier, Jules de: Identité et Bovarysme. Ds: *Mercure*, CLXVII ('23) 67–103

923023   Grosshaenser, W.: *F' und Bovarysmus*. Tübingen: Osiander, '23. iv, 46p.

923024   Henriot, Emile: F' chargé de mission. Ds: *Le Temps* (9 octobre '23) 2. Aussi ds: E. Henriot: *Livres et Portraits*. 2e série. Ps: Plon, '25, 247–252. (La mission de F' en Egypte.)

923025   Henriot, Emile: Reyer, F' et *Salammbô*. Ds: *Le Temps* (27 novembre '23) 2. (Sur l'opéra de Reyer.)

923026 Henriot, Emile: Un ami de F'. Ds: *Le Temps* (11 décembre '23) 2. Aussi ds: E. Henriot: *Livres et Portraits*. 2e série. Ps: Plon, '25, 253–258. (Sur Alfred Le Poittevin.)

923027 Héritier, Jean: F' ou l'idéalisme esthétique. Ds: J. Héritier: *Essais de critique contemporaine*. 1ère série. Ps: R. Chiberre, '23, 17–34

923028 Lambert, Pierre-M.: Inauguration de la chambre où naquit F' à l'Hôtel-Dieu, le 22 juin 1923, à Rouen. Ds: *Notre Vieux Lycée*, 39 ('23) 29–33

923029 Le Roy, Georges-A.: Une reconstitution du zaïmph ou voile de Tanit. Ds: *Mercure* (15 décembre '23) 766–770

923030 Martin, Georges: Autour d'une lettre de F'. Ds: *Le Petit Journal* (4 avril '23) 1. (Lettre du 22 juillet 1858 trouvée dans l'exemplaire de *Salammbô* de Robert de Montesquiou.)

923031 — XY: La fameuse lettre de F' va être vendue. Ds: *Le Petit Journal* (14 avril '23) 1

923032 — XY: La lettre de F' vendue 3,500f (à M. Maurice Escoffier). Ds: *Le Petit Journal* (27 avril '23) 3

923033 Martino, Pierre: F'. Ds: P. Martino: *Le Naturalisme français*. Ps: Colin, '23, 10–16

923034 Maynial, Edouard: F' orientaliste ou *Le Livre posthume de Maxime Du Camp*. Ds: *RLC*, III ('23) 78–108

923035 Meyer, E.: Les idées critiques de F' sur la poésie et l'art d'écrire en vers. Ds: *La Revue Universitaire*, II ('23) 140–153

923036 Renault, Michel: Madame Bovary a-t-elle existé? Ds: *Chronique des Lettres françaises* ('23) 229

923037 Robertson, J. M.: F'. Ds: *Criterion* ('23) 105–118

923038 Souday, Paul: F' et Musset. Ds: *Le Temps* (13 avril '23) 1

923039 Souday, Paul: Pas d'autodafé! Ds: *Le Temps* (13 avril '23) 1. (Sur une lettre de F' à Feydeau.)

923040   Spalikowski, Edmond: Quelques notes sur F'. Ds: E.
Spalikowski: *Etudes de littérature normande contemporaine.* Rouen: Defontaine, '23, 9–13. (Sur une lettre du
22 janvier 1842 à Gourgaud-Dugazon, et une lettre de
,   1879 (?) à Charles-Edmond.)

923041   Steinbrinck, O.: *Tagebuch aus Ägypten.* Ds: *Gral,* XVII
('23) 190

923042   Turiello, Mario: *Leopardi et F' dans leur œuvre intime.*
Ps: Presses Universitaires de France, '23. viii, 91p.

923043   Urtel, H.: F's Persönlichkeit. Ds: *Verhandlungen der
Versammlung deutscher Philologen und Schulmänner,* 55.
Versammlung, '23. 71ff

923044   Vandérem, Fernand: La deuxième édition originale de
Salammbô. Ds: *Bulletin du Bibliophile,* n.s., 2e année
(1er décembre '23) 582–583

923045   Vidal, H.: Au pays de *Madame Bovary.* Ds: *Le Figaro*
(28 avril '23) 1

923046   Vorberg, G.: F's Epilepsie. Ds: *Geschlecht und
Gesellschaft* , XII ('23) 62

923047   XY: F' et Maxime Du Camp en Orient. Ds: *Journal des
Débats* (4 février '23) 1

Editions

924001   *Bibliomanie.* Praha: Vydal Arthur Novak, '24.

924002   Bibliomanie. Ds: *Contes de Bibliofil.* Original de C. Nodier, F', A. Bonnardot, C. Asselineau, A. Daudet, O. Uzanne, C. Doucet, P. Louys, P. Mille, J. Pons y Massaveu, R. Casellas y M. S. Oliver. Barcelona: Institut Català de les Arts dels Llibre, '24. xliv, 360p.

924003   *Education sentimentale. Histoire d'un jeune homme.* Composition en couleurs gravées sur bois par P. Baudier. Ps: Crès, '24. 2 vols., 363, 407p.

924004   *Madame Bovary.* Deutsch von E. Sander. Berlin: Deutsche Buch-Gemeinschaft, s.d. ('24) 397p.

924005   *Madame Bovary.* Ein Sittenroman aus der Provinz. Neue Übersetzung von W. Cremer. Mit Zeich. von Hans Windisch. Berlin: Neufeld und Henius, s.d. ('24) xvi, 318p.

924006   *Par les champs et par les grèves.* Ouvrage illustré de 12 planches hors texte en couleurs et de nombreux dessins en noir d'après les aquarelles et croquis de Caroline Franklin-Grout-F'. Ps: Fasquelle, '24. 281p.

924007   *The First Temptation of Saint Anthony.* Translated by René Francis, with an introduction by E. Osborn and illustrated by Jean de Bosschère. Ldn: Lane, '24. xlvi, 231p.

924008   *Three Tales.* Translated by Arthur McDowall. Introduction by Harry Levin. Norfolk, Connecticut: New Directions, '24. 178p.

Correspondance

924009   Unveröffentliche Briefe an Louise Colet. Ds: *Neue Rundschau,* XXXV ('24) 249–256. (Lettres traduites par E. W. Fischer.)

Critique

924010   Arvin, N.C.: F' and the theatre. Ds: *Southwest Review,* IX ('24) 233–249

924011   Bersaucourt, Albert de: La chute du *Candidat* de F'. Ds: *Le Figaro* (8 mars '24) Supplément littéraire, 2

924012   Bouchardon, Le Président: *L'Affaire Lafarge.* Ps: Albin Michel, '24. 269p.

924013   — Dubosc, Georges: De Madame Bovary à Madame Lafarge. A propos d'un livre récent. Ds: *Journal de Rouen* (29 janvier '24) 2. (Sur Emma Bovary et Marie Cappelle.)

924014   Chassé, Charles: Pouchet et F'. Ds: C. Chassé: Le Biologiste consultant d'une génération: Georges Pouchet. 1833–1894. Ds: *La Grande Revue* (décembre '24) 308–316

924015   David, Henri Charles-Edouard : *F' and George Sand in their Correspondence.* Chicago: Chicago Literary Club, '24. 31p.

924016   Dillingham, Louise: A source of *Salammbô.* Ds: *MLN,* XXXIX ('24) 71–76

        Dubosc, Georges: De Madame Bovary à Madame Lafarge. CR de Bouchardon: *L'Affaire Lafarge.* Voir 924013

924017   Dumesnil, René: Plaidoyer pour *Bouvard et Pécuchet.* Ds: *Le Gaulois* (24 mai '24) 4

924018   Dumur, Louis: Le Roman documentaire. Ds: *L'Eclair* (28 février '24) 1; (12 mars '24) 1

924019   — Souday, Paul: Document et vérité. Ds: *Le Temps* (10 mars '24) 1

924020   Gide, André: (*Madame Bovary.*). Ds: A. Gide: *Incidences.* Ps: Nouvelle Revue Française, '24, 155

924021   Groos, K.: F's Novelle *Un cœur simple.* Ds: *Zeitschrift für Ästhetik,* XVIII ('24) 17–45

924022   Klob, Annette: Ein kleiner Kommentar zu F'. Ds: *Ganymed,* III ('24) 93–95

924023   Le Poittevin, Alfred: *Une Promenade de Bélial* et *Œuvres inédites.* Précédées d'une introduction sur la vie et le caractère d'Alfred Le Poittevin par René Descharmes. Ps: Les Presses françaises, '24. xcii, 235p. (Nouvelle édition de l'ouvrage publié en 1909: R. Descharmes: *Un ami de F'. Alfred Le Poittevin. Œuvres inédites précédées d'une introduction sur sa vie et sur son caractère.* Ps: Ferroud, '09. lxxvi, 160p.)

924024   Le Roy, Georges-A.: Un hôte de F' en Egypte. Ds: *Mercure* (1er avril '24) 237–241

924025   Martel, Tancrède: F' poète. Ds: *Le Figaro* (14 juin '24) Supplément littéraire, 2

924026   Murry, John Middleton: Flaubert and Flaubart. Ds: *Yale Review*, XIII ('24) 347–364. (Sur F' et 'l'invention de l'art'.)

924027   Prévost, Ernest: Les idées de F' sur la poésie. Ds: *Chronique des Lettres françaises* ('24) 196

924028   Renan, Ernest: Lettre à La Princesse Julie Bonaparte sur *La Tentation de Saint Antoine*. (Paris, le 15 mars 1875). Ds: *Revue des Deux Mondes* (1er juillet '24) 146

924029   Robert, Paul-Louis: *Trois portraits normands. F', Louis Bouilhet, Guy de Maupassant*. Rouen: A. Lainé, '24, 118p.

924030   Seillière, Ernest: Un inspirateur de F'. Alfred Le Poittevin. Ds: *Journal des Débats* (5 mai '24) 3

        Souday, Paul: Document et vérité. CR de L. Dumur: Le Roman documentaire. Voir 924019

924031   Souday, Paul: F' et Le Poittevin. Ds: *Le Temps* (14 juillet '24) 1

924032   Stelzer, F.: F's *Salammbô*. Ds: *Zeitschrift für den französischen und englischen Unterricht*, XXII ('24) 175

924033   Thibaudet, Albert: F' normand. Ds: *The French Quarterly* (September '24) 81–83

924034   Zévaès, Alexandre: Madame Bovary en place correctionnelle. Ds: A. Zévaès: *Les Procès Littéraires au XIXe siècle*. Ps: Perrin, '24, 71-100

924035   XY: Les ancêtres champenois de F'. Ds: *Journal des Débats* (18 janvier '24) 4

Editions

925001   *Education sentimentale.* Ps: Flammarion, '25. 2 vols.: 80, 96p.

925002   *Madame Bovary.* Ein Sittenroman aus der Provinz. Neue Übersetzung von W. Cremer. Berlin: Verlag von Schillerbuchhandlung, s.d. ('25) 318p.

925003   *Madame Bovary.* Deutsch von A. Winterstein. Berlin: T. Knaur, s.d. ('25) 442p.

925004   *Salammbô.* Film de Louis Aubert, réalisé par M. Pierre Marodon. Ds: *La Petite Illustration cinématographique,* 3 (septembre '25)

925005   *Salammbô.* Edited by E. Lauvrière. Oxford: Clarendon Press, '25. xlvii, 272p. (Première édition: 1906)

925006   *Trois contes.* 30 bois originaux de Le Meilleur, Lebedeff, Délignières. Ps: Fayard, '25. 126p.

925007   *Trois contes.* Mâcon: Protat frères, '25. 145p.

Critique

925008   Achard, Paul: Autour de *Salammbô.* Ds: *L'Eclair* (9 janvier '25) 4

925009   Albalat, Antoine: F' et le roman. La signification de *Madame Bovary.* Ds: A. Albalat: *Comment on devient écrivain.* Ps: Plon, '25, 68–75

925010   Albalat, Antoine: Les conseillers de F'; F' et Maupassant. Ds: A. Albalat: *Comment on devient écrivain.* Ps: Plon, '25, 266–269

925011   Boschot, Adolphe: La Musique. Une coquille de F'. Ds: *Echo de Paris* (26 janvier '25) 4. (Sur des fautes dans les premières éditions de *Madame Bovary.*)

925012   Bourget, Paul: A propos d'un centenaire. Ds: *Revue des Deux Mondes* (15 août '25) 721–728. (Sur le centenaire de Paul de Saint-Victor.)

925013   Brunel, Raoul: *Salammbô.* Ds: *L'Œuvre* (26 octobre '25) 5. (Sur l'adaptation cinématographique du roman.)

925014 Charpentier, Jean: Considérations sur le roman. Ds: *Mercure*, 183 ('25) 577–615

925015 Clouzot, Henri: F' et l'art industriel. Ds: *L'Opinion* (12 septembre '25) 18–20. (Sur *L'Art industriel* dans *L'Education sentimentale*.)

925016 Coleman, Algernon: Some sources of F's *Smarh*. Ds: *MLN*, XL ('25) 205–215

925017 Croze, J.-L.: *Salammbô*. Ds: *Comœdia* (23 octobre '25) 1–2. (Sur l'adaptation cinématographique du roman.)

925018 Deffoux, Léon: Mort de M. G.-A. Le Roy. Ds: *Mercure* (1er août '25) 851–852

925019 Degoumois, Léon: *F' à l'école de Goethe*. Genève: Sonor, '25. 68p.

925020 — Dumesnil, René: CR. Ds: *Marges* (avril '25) 269–272

925021 Descharmes, René: De L'Affaire Dreyfus à F'. Lettre ouverte de René Descharmes à Georges Le Roy, conservateur du Musée F'. Ds: *Journal de Rouen* (6 janvier '25). (Sur une brochure sur l'Affaire trouvée à la Bibliothèque Nationale: *'Bouvard et Pécuchet'. Un côté de l'affaire Dreyfus*.)

925022 Dillingham, L. B.: Source of *Salammbô*. Ds: *MLN*, XL ('25) 71–76

925023 Dubosc, Georges: La Salammbô de F' au cinéma. Ds: *Le Journal de Rouen* (12 octobre '25) 3

925024 Dumesnil, René: René Descharmes et la *Correspondance de F'*. Ds: *Mercure*, 181 (juillet '25) 289–310. Poitiers: Texier, '25. 29p.

925025 Dumesnil, René: Trois billets de F'. Ds: *Marges* (mai '25) 53–57

925026 Dumesnil, René: Flaubertiste ou Flaubertien? Ds: *Marges* (juin '25) 143–144

925027 Dumesnil, René: La mort de Guillaume Froehner. Quelques lettres autographes de F' qui viennent d'être vendues. Ds: *Marges* (juillet '25) 209–212

925028 Dumesnil, René: F' et Maupassant. Le Procès d'Etampes. Ds: *Marges* (août '25) 311–315

925029   Dumesnil, René: La mort de M. Georges-A. Le Roy, conservateur du Pavillon F' à Croisset. Ds: *Marges* (septembre '25) 60–64

925030   Dumesnil, René: A propos du centenaire de Paul de Saint-Victor. *Salammbô* au cinéma. Ds: *Marges* (novembre '25) 223–233. Aussi ds: R. Dumesnil: *En marge de F'.* Ps: Librairie de France, '28, 113–123

     Dumesnil, René: F' à l'école de Goethe. CR de L. Degoumois: *F' à l'école de Goethe.* Voir 925020

925031   Frierson, William C.: The naturalistic technique of F' from an analytical appreciation of *Madame Bovary* and a study of F's letters. Ds: *French Quarterly,* VII (September–December '25) 178–188

     Henriot, Emile: F' chargé de mission. Voir 923024

     Henriot, Emile: Un ami de F'. Voir 923026

925032   Jules, Léon: F'. Ds: *Dictionnaire pratique des connaissances religieuses.* Ps: Letouzey, '25, fasc. XII, col. 268–269

925033   Lanson, Gustave: F'. Ds: G. Lanson: *Manuel bibliographique de la littérature française moderne.* Ps: Hachette, '25, 1334–1337

925034   Le Roy, Georges-A.: Lettres inédites de F' à G. Pouchet. Ds: *Mercure* (1er avril '25) 244–246

925035   Maudrin, Pierre: *Salammbô* de M. Florent Schmitt. Ds: *Comœdia* (1er novembre '25) 1–2

925036   Maurras, Charles: D'Emma Bovary au grand tout. Ds: C. Maurras: *Barbarie et poésie.* Ps: Nouvelle Librairie Nationale, '25, 353–366. (Sur Jules de Gaultier: Le Bovarysme. Article déjà paru ds: *Gazette de France* (24 août 1902).)

925037   Morand, Hubert: Le film de *Salammbô* à l'Opéra. Ds: *Journal des Débats* (24 octobre '25) 1

925038   Rolland-Manuel: La Quinzaine musicale. Ds: *L'Eclair* (9 novembre '25) 2. (Sur *Salammbô*.)

925039   Souday, Paul: F' et Aurélien Scholl. Ds: *Le Temps* (4 septembre '25) 1

Van Tieghem, P.: F', par Thibaudet. CR d'A. Thibaudet: F'. Voir 921129

925040 Vuillermoz, Emile: Courrier cinématographique. *Salammbô*. Ds: *Le Temps* (24 octobre '25) 4. (Sur l'adaptation cinématographique du roman.)

925041 XY: Au cinéma: *Salammbô*. Ds: *L'Œuvre* (23 octobre '25) 4

925042 XY: *Salammbô* commencera ce soir, jeudi, à 20 heures et non à 21 heures. Ds: *Comœdia* (22 octobre '25) 4

925043 XY: Un souvenir de *Madame Bovary* entre à l'Académie de Médecine. Ds: *Le Matin* (21 janvier '25) 1. (La reproduction d'un buste qui figura dans le mobilier de l'héroïne authentique de F'.)

Editions

926001   *Bibliomanie.* Maestricht: A. A. M. Stols; Ps: Claude Aveline, '26. (Les Livrets du Bibliophile, 7.)

926002   *Hérodias.* Illustrations de Raphaël Freida. Ps: A. Plicque, '26. 69p.

926003   *Frau Bovary.* Ein Sittenbild aus der Provinz. Deutsch von Margarete Milchinsky. ˙Leipzig: Hesse und Becker, '26, 416p.

926004   (*Madame Bovary.* Extraits). Les Comices agricoles. Une Noce normande. Herausgegeben von Eugène Panselle. Bielefeld: Velhagen und Klasing, '26. 36p. (Französische und englische Lesebogen, 69.)

926005   *Novembre.* Fragments de style quelconque. Mit einem Essay über die Bedeutung des Werkes. Herausgegeben von Eugen Lerch. München: M. Hueber, '26. 159p.

926006   *Salammbô.* Illustré de 22 eaux-fortes dessinées et gravées par William Walcot. Ps: Editions d'Art Devambez, '26. 239p.

926007   *Salambo.* Ein Roman aus dem Alten Karthago. Berlin: Die Buchgemeinde, '26. 260p.

926008   *La Tentation de Saint Antoine.* Edition définitive. Vingt miniatures de Arthur Szyk. Ps: Henri Reynaud, '26. 296p.

Correspondance

926009   *Correspondance.* Nouvelle édition augmentée. Ps: Conard, '26-'33.

Première série (1830–1846) '26. xlv, 440p.

Deuxième série (1847–1852) '26. 485p.

Troisième série (1852–1854) '27. 448p.

Quatrième série (1854–1861) '27. 472p.

Cinquième série (1862–1868) '29. 437p.

Sixième série (1869–1872) '30. 498p.

Septième série (1873–1876) '30. 396p.

Huitième série (1877–1880) '30. 417p.

Neuvième série (1880. Index analytique) '33. 446p.

926010 — Dumesnil, René: CR. Ds: *Marges* (décembre '26) 307–310

926011 — Vandérem, Fernand: CR. Ds: *Revue de France* (1 juillet '26) 140–143. Aussi ds: F. Vandérem: *Le Miroir des Lettres*. t. VIII. Ps: Flammarion, '29, 228–231

926012 F' et Louise Colet. Lettres inédites. Présentées par ‚M. Levaillant. Ds: *Le Figaro* (1er mai '26) Supplément littéraire 1–2

Autour de Flaubert

926013 Colet, Louise: Lettres inédites à Victor Hugo. Ds: *Revue de France* (15 mai, 1er juin '26). (Voir la lettre de F' à Victor Hugo, du 2 juin 1853, 223–225.)

Critique

926014 Auriant: Histoire de Safia, dite Koutchouk-Hânem, almée d'Esneh. Ds: *Marges* (juin '26) 84–98

926015 Auriant: Tolstoï jugé par F'. Ds: *Mercure,* 678 (15 septembre '26) 764–765

926016 Bainville, Jacques: Le bon F'. Ds: *Cahiers d'Occident,* 3 ('26) 101–106

926017 Billy, André: F': *Œuvres complètes.* Ds: *L'Œuvre* (9 février '26) 4. (Sur les *Notes de Voyage*.)

926018 Clerc, Charles: La Véridique histoire de la 'Vénus en marbre chaud'. (Louise Colet). Ds: *Comœdia* (11 mars '26) 1. (Sur Louise Colet et F'.)

Cœuroy, A.: F' the musician. Voir 923013

926019 Deffoux, Léon et Dufay, Pierre: L'Influence de F' sur les Naturalistes. Ds: L. Deffoux et P. Dufay: *Anthologie du Pastiche.* Ps: Crès, '26, t.II, 123–129

926020 Dumesnil, René: En relisant *L'Education sentimentale.* Ds: *Mercure,* 192 (15 novembre '26) 95–114

926021 Dumesnil, René: Le quatrième volume de la *Correspondance* et l'achèvement de L'Edition du Centenaire des œuvres de F'. F' et Huysmans. Ds: *Marges* (janvier '26) 59–64

926022   Dumesnil, René: A propos d'une vente d'autographes. Réflexions sur la *Correspondance* de F'. Ds: *Marges* (mars '26) 226–230

960023   Dumesnil, René: F' et Zola. La doctrine de Croisset et les théories de Médan. Ds: *Marges* (avril '26) 295–300

926024   Dumesnil, René: Balzac et F'. Ds: *Marges* (mai '26) 6–11; (juillet '26) 162–168

926025   Dumesnil, René: Les lettres de F' à Louise Colet. Ds: *Marges* (juin '26) 148–152

926026   Dumesnil, René: La Correspondance entre Victor Hugo et Louise Colet. Ds: *Marges* (août '26) 305–311; (novembre '26) 216–221; (décembre '26) 307–310

Dumesnil, René: CR de la *Correspondance* de F'. Voir 926010

926027   Lollis, Cesare de: *La Monaca di Monza* e *Madame Bovary*. Ds: *La Cultura,* V ('26) 300–309

926028   Lugli, Vittorio: F'. Ds: *Rivista d'Italia,* II (15 giugnio '26) 784–807. Aussi ds: V. Lugli: *Due Francesi. F'. Chénier.* Firenze: Lemonnier, '33. 132p.

926029   Mornet, Daniel: La méthode historique de *Salammbô* et la méthode historique d'Ernest Feydeau. Ds: *RHLF,* XXXIII (avril–juin '26) 201–212

926030   Nyrop, K.: Den historike roman i Frankrig i det 19 Aarh. Ds: *Edda,* XXVI ('26) 20–97

926031   Patzer, Otto: Unwritten works of F'. Ds: *MLN,* XLI ('26) 24–29

926032   Raab, R.: F's Werke. Ds: *Literarische Wochenschrift,* II ('26) 1512

926033   Suarès, André: Pour en finir avec F'? Ds: A. Suarès: *Présences.* Ps: Emile-Paul, '26, 39–47

926034   t'Serstevens, Alfred: F' et l'amour. Ds: *Chantecler* (9 octobre '26) 1

Editions

927001   *Bouvard et Pécuchet.* Traduzione di C. De Mohr. Milano: Alpes, '27. 390p.

927002   *Hérodias.* Illustrations en couleurs de Gustave-Adolphe Mossa. Ps: F. Ferroud, '27. 73p.

927003   *La Légende de Saint Julien L'Hospitalier.* Illustrations en couleurs de Maurice Lalau. Ps: F. Ferroud, '27. 73p.

927004   *Madame Bovary.* Nouvelle édition illustrée d'eaux-fortes originales en couleurs par William Fel. Ps: L. Carteret, '27. 2 vol.: 318, 353p.

927005   *Madame Bovary.* Illustrations de Pierre Rousseau. Ps: H. Cyral éditeur, '27. 499p.

927006   *La Tentation de Saint Antoine.* Ps: Flammarion, '27. 70p.

Correspondance

927007   *Lettres inédites à la Princesse Mathilde.* Préface de M. Le Comte Joseph Primoli. Etude de Mme. La Princesse Mathilde. Ps: Conard, '27. xvii, 239p.

927008   Lettres. Ds: *Le Manuscrit Autographe.* Numéro spécial Charles Baudelaire ('27) 34, 39, 51–52, 72

Critique

927009   Albalat, Antoine: F' et les Goncourt. Documents et Lettres inédits. Ds: *Mercure* (15 mai '27) 58–67

927010   — Dumesnil, René: F' et les Goncourt. Ds: *Marges* (juillet '27) 228–231

927011   Albalat, Antoine: F' et Victor Hugo. Lettres et Documents inédits. Ds: *La Revue mondiale* (1er juin '27) 221–226

927012   Albalat, Antoine: F' et Théophile Gautier. Lettres inédites. Ds: *La Revue Bleue* (1er octobre '27) 585–592

927013   Albalat, Antoine: F', Villiers de l'Isle-Adam et les bourgeois. Lettres inédites. Ds: *Mercure* (15 octobre '27) 293–302

927014   Albalat, Antoine: F' et ses amis. Ds: *Revue de Paris* (1er août '27) 626–657. Voir R. Dumesnil: Quelques articles et quelques livres (927029)

927015   Albalat, Antoine: *F' et ses amis.* Ps: Les Œuvres Représentatives, '27. 295p.

927016   — Dumesnil, René: CR. Ds: *Marges* (décembre '27) 279–282

927017   — Henriot, Emile: CR. Ds: *Le Temps* (4 octobre '27) 4. Aussi ds: E. Henriot: *Courrier littéraire. XIXe siècle. Réalistes et naturalistes.* Ps: Albin Michel, '54, 56–61

927018   — Patin, J.: F' et ses amis. Ds: *Le Figaro* (17 décembre '27) Supplément littéraire, 2

927019   — Bellesort, A.: Figures d'hier et d'avant-hier. Ds: *Journal des Débats*, XXXV (3 février '28) 205–208

927020   — Souday, Paul: Les Livres. Ds: *Le Temps* (26 janvier '28) 3

927021   Auriant: Sur un portrait de Koutchouk-Hânem. F'. Ds: *Le Figaro* (23 juillet '27) Supplément littéraire. Voir R. Dumesnil: Quelques articles et quelques livres (927029)

927022   Auriant: Autour de F'. Ds: *NL* (19 mars '27) 3. (Sur le sort de Koutchouk-Hânem. Sur le voyage de Louise Colet en 1869.)

Bertrand, Louis: *F' à Paris ou le mort vivant.* Voir 921022

927023   Brown, Irving: An unpublished letter by F'. Ds: *RR*, XVIII ('27) 149–152. (Lettre du 11–12 septembre 1878 à Mme Pasca.)

927024   Chauvelot, Robert: *F' et Alphonse Daudet.* Monaco: Imprimerie de Monaco, '27. 38p.

927025   Dubosc, Georges: Vente d'un exemplaire unique de *Salammbô*. Ds: *Journal de Rouen* (9 mai '27) 2

927026   Dumesnil, René: A propos des 'faux chefs d'œuvre'. Ds: *Marges* (janvier '27) 68–71. (Sur *La Tentation de Saint Antoine.*)

927027   Dumesnil, René: Le Romantisme et le Réalisme de F'. Ds: *Marges* (février '27) 151–155; (mars '27) 228–232

927028   Dumesnil, René: M. Dirk Coster et la *Correspondance* de F'. Ds: *Marges* (avril '27) 313–315

927029   Dumesnil, René: Quelques articles et quelques livres. Ds: *Marges* (novembre '27) 203–206. (Sur A. Albalat: voir 927014, et Auriant: voir 927021.)

Dumesnil, René: CR d'E. Maynial: *F' et son milieu.* Voir 927041

927030   Dumesnil, René: F' et George Sand. A propos de l'ouvrage de Wladimir Karénine. Ds: *Marges* (juin '27) 149–152. (Sur W. Karénine: *George Sand. Sa vie et ses œuvres.*)

Dumesnil, René: F' et les Goncourt. CR d'A. Albalat: F' et les Goncourt. Voir 927010

927031   Dumesnil, René: Une page de Catulle Mendès; Stevenson et F'. Ds: *Marges* (septembre–octobre '27) 123–126

Dumesnil, René: CR d'A. Albalat: *F' et ses amis.* Voir 927016

927032   Genty, Maurice: Les amitiés littéraires de Charles Robin. Ds: *Le Progrès Médical, supplément illustré,* 6 ('27) 41–47. (Sur les idées de Robin dans *Bouvard et Pécuchet.*)

927033   Haas, Josef: F'. Ds: J. Haas: *Kurzgefasste französische Literaturgeschichte.* IV. Halle: Niemeyer, '27, 257–279

927034   Hatzfeld, Helmut: *Don Quijote* und *Madame Bovary.* Ds: *Jahrbuch für Philologie,* II ('27) 54–70; 116–131

927035   Hayes, Ricardo Saénz: Luisa Colet en la vida de F'. Ds: R. S. Hayes: *Perfiles y caracteres.* Buenos Aires: M. Gleizer, '27, 109–116

927036   Henriot, Emile: F' et la Princesse Mathilde. Ds: Le Temps (14 juin '27) 3

Henriot, Emile: F' et ses amis. CR d'A. Albalat: *F' et ses amis.* Voir 927017

927037   Hourticq, Louis: Ce que la littérature doit à la peinture. Ds: *Le Temps* (26 octobre '27) 3. (Sur *Salammbô* et *L'Education sentimentale.*)

927038   Lugli, Vittorio: F' e il *Don Chisciotte*. Ds: *La Cultura* (15 luglio '27). Aussi ds: V. Lugli: *Due Francesi. F'. Chénier*. Firenze: Lemonnier, 33. 132p.

927039   Maurice, A. B.: *Madame Bovary*. Ds: *Bookman*, LXVI (November '27) 275–276

927040   Maynial, Edouard: *F' et son milieu*. Ps: Editions de la Nouvelle Revue Critique, '27. 223p.

927041   — Dumesnil, René: CR. Ds: *Marges* (mai '27) 73–77

           Patin, J.: F' et ses amis. Voir 927018

           Primoli, Le Comte Joseph: F' chez la Princesse Mathilde. Souvenir d'une soirée à Saint-Gratien. Voir 921106

927042   Proust, Marcel: A propos du style de F'. Ds: M. Proust: *Chroniques*. Ps: Gallimard, '27, 193–211. Aussi ds: *F'*. Textes recueillis et présentés par Raymonde Debray-Genette. Ps: Firmin-Didot, '70, 46-55. Article paru ds: *Nouvelle Revue Française* (1er janvier '20) 79–90

927043   Regnault, Félix: Le mal de F'. Ds: *Revue moderne de médecine et de chirurgie* (novembre '27) 342–347

927044   Shanks, Lewis Piaget: *F's youth. 1821–1845*. Baltimore: Johns Hopkins Press, '27. xi, 250p.

927045   Sheldon, L.: Salammbô, spirit of Carthage. Ds: *Mentor*, XV (March '27) 11–12

927046   Souriau, Maurice: F'. Ds: M. Souriau: *Histoire du romantisme en France*. Ps: Spes, '27, 256–263

927047   Thibaudet, Albert: Amis et amies de lettres. F' et Louise Colet. Ds: *Candide* (16 juin '27) 4

927048   Vandérem, Fernand: Les véritables origines: *Le Château des Cœurs* de F'. Ds: *Bulletin du Bibliophile* ('27) 235–236

927049   Varlet, Théo: Un parallèle à vérifier. Stevenson et F'. Ds: *Marges* (novembre '27) 203–206

Editions

928001   *Chant de la courtisane.* Poème inédite. Ds: *Le Manuscrit autographe*, 3e année, 15 (mai–juin '28) 12–15. Voir aussi le commentaire de Jean Royère, *ibid.* p 57, et l'article d'Auriant: Au sujet de l'inédit de F', *Chant de la courtisane* ds: *Le Manuscrit autographe*, 3e année, 16 (juillet–août '28) 31–32. Voir aussi *Le Figaro* (16 juin '28) Supplément littéraire: *Chant de la courtisane*, présenté par Jean Royère.

928002   *Un cœur simple.* Illustrations en couleurs de Fred Money. Ps: Ferroud, '28. 77p.

982003   *Hérodias.* Illustré de 11 eaux-fortes originales dessinées et gravées par William Walcot. Ps: Editions d'Art Devambez, '28. 59p.

928004   *Madame Bovary.* Translated by Henry Blanchamp. Ldn: Collins, '28. 269p.

928005   *Madame Bovary.* Translated by Eleanor Marx-Aveling. Ldn: Dutton, '28. xxviii, 286p.

928006   *Madame Bovary.* Translated by Eleanor Marx-Aveling. Introduction by George Saintsbury. Ldn: Dent, '28. 324p.

928007   *Madame Bovary.* Translated with an introduction by J. L. May. Illustrations by J. Austen. Ldn: London Book Company, '28. 246p.

928008   *Madame Bovary.* Übersetzung von W. Heichen. Berlin: A. Weichert, '28. 360p.

928009   *La Signora Bovary.* Traduzione di Nina Zanghieri. Milano: Bietti, '28; '33. 370p.

928010   *Novembre.* Illustré de 21 eaux-fortes et pointes-sèches gravées par Edgar Chahine. Ps: Editions d'Art Devambez, '28. 123p.

928011   *Salammbô.* Illustrations de Suzanne-Raphaële Lagneau. Ps: Henri Cyral, '28. 448p.

928012   *Salammbô.* Traducción de Vincento Diaz de Tejada. Prólogo de Vincente Clavel. Barcelona: L. Cortina, '28. 320p.

928013   *Tales from F'. A Simple heart. The Legend of Saint Julien the Hospitalier. Herodias.* Translated by John Gilmer. *The Temptation of Saint Anthony.* Translated by A. K. Chignell. With a preface by George Saintsbury. Ldn: Nash and Grayson, '28. 323p.

Correspondance

928014   Lettres de F' à Guy de Maupassant. Présentées par Georges Normandy. Ds: *Le Manuscrit autographe,* 3e année, 13 (janvier–février '28) 40–56; 14 (mars–avril '28) 20–39; 109–130; 16 (juillet–août '28) 33–38

928015   — Royère, Jean: Glose sur les manuscrits. Les lettres de Guy de Maupassant et F'. Ds: *Le Manuscrit autographe,* 3e année, 14 (mars–avril '28) 70

928016   Lettres de Mme Laure de Maupassant à F'. Ds: Guy de Maupassant: *Œuvres complètes.* Ps: Conard, t. XXIII, '28, ix–xxiii

Critique

928017   Andrieux, Georges: *Commentaires sur une correspondance de F'.* Ps: G. Andrieux, '28. 55p. (Commentaires sur une correspondance de F' à Ernest Feydeau, vente à Paris, Hôtel Drouot, les 30, 31 mai, 1er et 2 juin '28.)

928018   Auriant: Au sujet de l'inédit de F': *Chant de la courtisane.* Ds: *Le Manuscrit autographe,* 3e année, 18 (juillet–août '28) 31–32

928019   Auriant: Un pylade littéraire: Maxime Du Camp. Ds: *Le Manuscrit autographe,* 3e année, 18 (novembre–décembre '28) 119–131; 4e année, 19 (janvier–février '29) 60–65; 21 (mai–juin '29) 78–85

Beaume, Georges: Chez F'. Voir 921019

Bellesort, A.: Figures d'hier et d'avant-hier. CR d'A. Albalat: *F' et ses amis.* Voir 927019

Boulenger, Jacques: A propos du centenaire de F'. Voir 921031

928020   Calvet, Jean: Homais. Ds: J. Calvet: *Les types universels dans la littérature française.* Ps: Lanore, '28, t. I, 217–235

928021 Charensol: Cent-cinquante lettres de F'. Ds: *NL* (26 mai '28) 8

Chassé, Charles: F'. Voir 921041

928022 Clauzel, Raymond: La publication de *Madame Bovary*. Ds: *Eve* (25 mars '28) 10

Daudet, Léon: F'. Voir 921046

928023 Dumesnil, René: *La publication de 'Madame Bovary'*. Abbeville: Paillart, '28. 137p.

928024 Dumesnil, René: Ouvrages divers. Ds: *Marges* (octobre-décembre '28) 97–107

928025 Dumesnil, René: *En marge de F'*. Ps: Librairie de France, '28. 181p.

928026 — Régnier, Henri de: CR. Ds: *Le Figaro* (25 juin '29) 5

928027 Fischer, Wilhelm: La Villa Tanit et la nièce de F'. Ds: *Mercure*, 721 (1er juillet '28) 219–224

928028 Henriot, Emile: La publication de *Madame Bovary*. Ds: *Le Temps* (7 février '28). Aussi ds: E. Henriot: *Romanesques et Romantiques*. Ps: Plon, '30, 300–307

928029 Henriot, Emile: F' et Maupassant. Ds: *Le Temps* (24 avril '28) 7

928030 Henriot, Emile: F' et Feydeau. Ds: *Le Temps* (29 mai '28) 3–4

928031 Jean Maurienne: Sur *Madame Bovary*. Ds: *Mercure* (1er septembre '28) 508–509

928032 Jean Maurienne: La maladie et la mort de F'. Ds: *Mercure* (15 août '28) 200–202

928033 Kemp, Robert: *Madame Bovary*. Ds: *La Liberté* (5 mars '28) 2

928034 Le Guennec, T.: Un manoir breton visité par F'. Ds: *La Bretagne Touristique* (15 février '28) 40–41

928035 Lugli, Vittorio: Il primo romanzo di F'. Ds: *Nuova Antologia*, CCLXII ('28) 34–46. Aussi ds: V. Lugli: *Due francesi. F'. Chénier*. Firenze: Le Monnier, '33. 132p. (Sous le titre: 'L'esempio di Wilhelm Meister'.)

928036   Nowack, F.: F' als Romantiker. Ds: *Romanische Forschungen*, XLI–XLII ('28) 99–146

928037   Nuellas, E.: Analyse et psychologie du caractère de F' d'après une correspondance intime. Ds: *Le Manuscrit autographe*, 3e année, 18 (novembre–décembre '28) 153–163

928038   Royère, Jean: Commentaire sur *Chant de la Courtisane*. Ds: *Le Manuscrit autographe*, 3e année, 15 (mai–juin '28) 57

928039   Rudwin, M.: F' and the Devil. Ds: *Open Court*, XL (November '28) 659–666

928040   Schmitt, Florent: *Salammbô*. Trois suites d'orchestre tirées de la musique écrite pour le film. Ps: Durand, '28.

928041   Shanks, Edward: *Salammbô*. Ds: *Saturday Review* (19 May '28) 631–632

928042   Souday, Paul: Taine et F'. Ds: *Le Temps* (13 avril '28) 1

           Souday, Paul: CR d'A. Albalat: *F' et ses amis*. Voir 927020

928043   Unamuno, Miguel de: En lisant F'. Ds: *La Revue Bleue*, LXVI (7 janvier '28) 7–10

928044   Vandérem, Fernand: Une originale peu connue de F'. Ds: *Bulletin du Bibliophile* (décembre '28) 529–532. (Sur la première *Education sentimentale*.)

928045   XY: A note on F'. Ds: *Bookman*, LXVII ('28) 409–410

Editions

929001   *Bibliomania.* A tale. Translated by Theodore Wesley Koch. Evanston: Northwestern University Library, '29. 57p.

929002   *La Dernière Heure. Conte philosophique.* Ds: *Le Manuscrit autographe,* 4e année, 19 (janvier–février '29) 6–17

929003   — Royère, Jean: Glose sur les manuscrits. Ds: *Le Manuscrit autographe,* 4e année, 19 (janvier–février '29) 54–56

929004   *La Fiancée et la Tombe. Conte fantastique.* Ds: *Le Manuscrit autographe,* 4e année, 19 (janvier–février '29) 1–5. (Voir aussi le commentaire de Jean Royère, supra: 929003)

929005   *Salambo.* Deutsche von Sophie Ritschl. Durchgesehen und erläutert von Karl Quenzel. Leipzig: Hesse und Becker, '29. 336p.

929006   *Trois contes.* Illustrations de Daniel-Girard, Pierre Rousseau et Suzanne-Raphaële Lagneau. Ps: Henri Cyral, '29. 259p.

Correspondance

929007   Trois lettres inédites présentées par Jean Allary. Ds: *L'Europe Nouvelle,* 12e année (22 juin '29) 836–839

929008   Quatre lettres inédites de F' à Ivan Tourgueneff. Ds: *L'Europe Nouvelle,* 12e année (7 septembre '29) 1189–1191

929009   Letters to Tourgenev. Ds: *Living Age,* CCCXXXVII (1 November '29) 295–299

929010   Maupassant, Guy de: *Lettres à F'.* Editées par Pierre Borel. Ps: Edition des Portiques, '29. 136p; Avignon: Aubanel, '40, 110p.

Critique

929011   Beauchesne, A.: F'. Ds: *Royal Society of Canada. Proceedings and Transactions,* 3rd series, 23, section 1 ('29) 1–20

929012 Bornhausen, K.: Die religiöse Bedeutung von F's *Tentation de Saint Antoine* für Frankreich. Ds: *Berliner Beiträge zur Romanischen Philologie* ('29) 9–19

929013 Boursiac, Louis G.: F' critique littéraire. Ds: *La Grande Revue* (25 juillet '29) 582–606

929014 — XY: F' critique littéraire. Ds: *Le Figaro* (20 juillet '29) 8

929015 Daudet, Léon: F' et Maupassant. Ds: *Action Française* (26 avril '29) 1

929016 Deffoux, Léon: Extraits de *L'Education sentimentale*. Ds: L. Deffoux: *Le Naturalisme*. Ps: Les Œuvres Représentatives, '29, 152–154. (Frédéric et Deslauriers chez la Turque.)

929017 Doyon, René-Louis: Les Contrefaçons de *Madame Bovary*. Ds: *L'Intermédiaire des Chercheurs et des Curieux* (10 mars '29)

929018 Fischer, E. W.: F' und die Prinzessin Mathilde. Ds: *Frankfurter Zeitung*, 185 ('29)

929019 Franke, Elisabeth: *F's Novelle 'Un cœur simple' als Wortkunstwerk*. Frankfurt: J. Wagner, '29. 97p. (Thèse Frankfurt, '29.)

929020 Haraucourt, Edmond: Le Bovarysme, mal nouveau. Est-il nocif, et faut-il en guérir? Ds: *Le Journal* (19 septembre '29) 1

929021 Jackson, Joseph F.: A note on F'. Ds: *MLN*, XLIV ('29) 538. (Sur Rosanette, dans *L'Education sentimentale*.)

929022 King, Donald L.: F'. Ds: D. L. King: *L'Influence des sciences physiologiques sur la littérature française de 1670 à 1870*. Ps: Les Presses Modernes, '29, 207–241

929023 Offenburg, Kurt: F'. Ds: *Deutsche Republik*, III, ('29) 1475

929024 Overton, G.: Do you remember? *Madame Bovary*. Ds: *Mentor*, XVII (November '29) 49–50

929025 Pierre, André: F' et Kipling. Ds: *La Revue Bleue* (7 septembre '29) 521–526

929026   Planhol, René de: Une apologie pour *Bouvard et Pécuchet*. Ds: *Action Française* (15 août '29) 3

929027   Puy, Michel: F' est-il un grand écrivain? Ds: *Amitiés*, VIII, 5 (avril '29) 289–296. Aussi ds: *La Revue Belge*, 8e année, III, 3 (1er août '31) 237–242

929028   Rebell, Hugues: F' ou l'artiste impeccable. Ds: H. Rebell: *Le Culte des Idoles*. Ps: Jacques Bernard, '29, 61–76

          Régnier, Henri de: *Lettres de Maupassant à F'; En Marge de F'* (R. Dumesnil). Voir 928026

929029   Reuillard, Gabriel: Chez les Bovary. Ds: *NL* (5 octobre '29) 5

929030   Rouch, Jules-Alfred-Pierre: F'. *Salammbô. Madame Bovary.* Ds: J.-A.-P. Rouch: *Orages et tempêtes dans la littérature*. Ps: Société d'Editions géographiques, maritimes et coloniales, '29, 191–208

          Royère, Jean: Les deux contes inédits de F'. *La Fiancée et la Tombe. La Dernière Heure.* Voir 929003

929031   Semenoff, Eugène et Semenoff, Marc: Tourgueneff et F' accusés de plagiat par Goutcharoff. Ds: *Le Figaro* (20 juillet '29) 8

          Souday, Paul: Le centenaire de F'. Voir 921120

          Vandérem, Fernand: CR de la *Correspondance*. Nouvelle édition augmentée. Voir 926011

          XY: CR de Louis Boursiac: F' critique littéraire. Voir 929014

Editions

930001   *Un Cœur simple*. Berlin: Weidmann, '30. 51p.

930002   *Madame Bovary*. 50 bois originaux de Claudel. Ps: Fayard, '30. 224p.

930003   *Madame Bovary*. Illustrations de Boullaire. Ps: Mornay, '30. 469p.

930004   *Madame Bovary*. Translated by E. Marx-Aveling. Introduction by Hamish Miles. Ldn: Cape, '30. 384p.

930005   *Madame Bovary*. With an introduction and notes by Christian Gauss. New York: Scribner, '30. xxxv, 415p. (Texte en français, notes et préface en anglais.)

930006   *Madam Bovari*. Probyt provincii. Perekaad O. Byblik-Gordon. Karkow-Kiev: Knizosphilka, '30. lvi, 331p.

930007   *Salammbô*. Translated from the French. Introduction by H. Miles. Ldn: Cape, '30. 384p.

930008   *Salammbô*. Translated by J. W. Matthews. Foreword by A. Symons. Illustrations by Haydn Mackey. Mandrake Press, '30. (Limited edition.)

930009   *Salammbô*. A story of Ancient Carthage. Edited by Dora Knowlton Ranous. New York: Boni, '30. 394p.

930010   *Salammbô*. Illustrated by Alexander King. New York: Brown House, '30. 348p. (Limited edition.)

930011   *La Tentation de Saint Antoine*. Illustrations de Daniel-Girard. Ps: H. Cyral, '30. 311p.

Correspondance

930012   *Voyage en Egypte. (1849-1850)*. Correspondance suivie d'une notice et de notes par René Hélot. Ps: Léon Pichon; Rouen: Société normande des Amis du Livre, '30. 263p.

930013   Briefe an Louise Colet. Ds: *Neue Rundschau*, XLI (Mai '30) 664–674. (Traduction de E. W. Fischer.)

930014   Une Lettre inédite à Frédéric Baudry. Ds: *Journal des Débats* (8 août '30) 237

930015   A F' love letter. Ds: *Living Age,* CCCXXXVIII (15 March '30) 96

Autour de Flaubert

930016   *Allocutions prononcées à l'assemblée générale du 11 mai '30, tenue dans le Pavillon de F' à Croisset, à l'occasion de la distribution du 'Voyage en Egypte' de F'.* Ps: Léon Pichon; Rouen: Société normande des Amis du Livre, '30. 43p.

930017   Didon, R. P.: *Lettres à Caroline Commanville.* Ps: Plon, '30. 2 vols: ii, 379p.; 309p.

Critique

930018   Beauchesne, Arthur: F'. Ds: A. Beauchesne: *Ecrivains d'autrefois.* Ottawa: The Mortimer Co. Ltd., '30, 194–260

930019   Beaume, Georges: Hommage à F'. Ds: *La Revue mondiale* (15 janvier '30) 151–161. (Reproduction du *Gil Blas* du 24 novembre 1890 à l'occasion de l'inauguration du monument de F' à Rouen.)

930020   Beaurepaire, Georges de: La fortune patrimoniale de F'. Ds: *Précis des Travaux de l'Académie des Sciences, Belles-Lettres et Arts de Rouen* ('30) 396–399

930021   Bouvier, Emile: L'Original de *Salammbô.* Ds: *RHLF*, XXXVII (octobre–décembre '30) 602–609

930022   Buzzini, Louis: F' et Gœthe. Ds: *La Revue Bleue*, LXVII (18 octobre '30) 635–637

930023   Buzzini, Louis: Amédée Pigeon et la mort de F'. Lettre inédite. Ds: *Le Figaro* (3 mai '30) 6

930024   Cadilhac, Paul-Emile: Au pays de *Madame Bovary.* Ds: *L'Illustration* (9 août '30) 516–521

930025   Clement, Franz: F'. Ds: *Das Tagebuch*, XI (3. Mai '30)

930026   Daniel-Rops: Le cinquantenaire de la mort de F'. Postérité de Frédéric Moreau. Ds: *NL* (17 mai '30) 3

930027   Daudet, Léon: Le Culte de F'. Ds: *Action Française* (15 mai '30) 1

930028   Dubreuil, Louis: F' historien de son époque. Ds: *Précis analytique des Travaux de l'Académie des Sciences, Belles-Lettres et Arts de Rouen* ('30) 389–395

930029   Férard, E. A.: Une lettre d'amour de F'. Ds: *Le Figaro* (11 janvier '30) 5. (Lettre de F' à Jeanne de Tourbey; F' et Jeanne de Tourbey. Voir aussi l'article de René Dumesnil: La Dame aux violettes (932031).)

930030   Fernand-Demeure: A propos du cinquantenaire de F'. F' et l'opinion. Ds: *Le Monde nouveau* (mai '30) 201–207

930031   Gérard-Gailly: *F' et les 'fantômes de Trouville'.* Ps: La Renaissance du Livre, '30. 212p. (Sur les sources de *L'Education sentimentale* et d'*Un cœur simple.*)

930032   — Régnier, Henri de: CR. Ds: *Le Figaro* (16 septembre '30) 5

930033   — Charpentier, John: CR. Ds: *La Quinzaine Littéraire* (10 janvier '30) 15

930034   — Lugli, Vittorio: CR. Ds: *La Cultura* (aprile '31)

930035   Girard, Georges: Le Passé vivant. Le Procès de *Madame Bovary.* Ds: *Lumière* (14, 21 et 28 juin '30)

930036   Glanz, Robert: *Der poetische Wertmasstab F's.* Stuttgart: Enke, '30. vii, 40p. (Thèse, Frankfurt, '29.)

930037   Gorm, Ludwig: F'. Ds: *Deutsche Allgemeine Zeitung*, 209 ('30)

930038   Guillemin, Bernard: F'. Ds: *Berliner Tageblatt*, 214 ('30)

        Hélot, René: F'. *Voyage en Egypte.* Voir 930012

        Henriot, Emile: La Publication de *Madame Bovary.* Voir 928028

930039   Henriot, Emile: F' à Trouville. Ds: *Le Temps* (24 juin '30) 2

930040   Henriot, Emile: Les dessous personnels de l'*Education sentimentale.* (Article daté: 1930.) Ds: E. Henriot: *Courrier Littéraire. XIXe siècle. Réalistes et Naturalistes.* Ps: Albin Michel, '54, 32–39

930041   Jinbu, Takashi: Furoberu to Zora. Ds: *Roman-Koten* (Tokyo), I, 3 (1er juin '30) 47–51. (Sur F' et Zola.)

930042   Labrosse, Henri: Manuscrits de F' à la Bibliothèque de Rouen. Ds: *Précis analytique des travaux de l'Académie des Sciences, Belles-Lettres et Arts de Rouen* ('30) 400–403

930043 Le Sidaner, Louis: Les Jugements de F'. Ds: *Nouvelle Revue Critique* (juillet '30)

930044 Le Sidaner, Louis: *F'. Son œuvre.* Ps: Editions de La Nouvelle Revue Critique, '30. 63p.

930045 Luppé, Comte A. de: F'. Ds: *Le Correspondant,* 102e anne, 1623 (10 mai '30) 465–468

930046 Luppé, Comte A. de: Madame Bovary au couvent. Ds: *Le Figaro* (17 septembre '30) 5

930047 Mann, Heinrich: F'. Ds: *Die literarische Welt,* VI, 19 ('30) 1

930048 Maupassant, Guy de: Etude sur F'. Ds: G. de Maupassant: *Œuvres complètes. Œuvres posthumes, t.II.* Ps: Conard, '30, 89–145. (Article de 1885.)

930049 Mauriac, François: F'. Ds: *Vigile,* 3e cahier ('30) 187–211

930050 Mauriac, François: F'. Ds: F. Mauriac: *Trois grands hommes devant Dieu.* Ps: Editions du Capitole, '30, 131–185. 2e édition: Ps: Hartmann, '47, 77–109

930051 Maurois, André: Tourgueniew. Les dernières années. F'. Ds: *Revue Hebdomadaire* (12 avril '30) 189–200

930052 Monval, Jean: F' et Coppée. Souvenirs inédits. Ds: *Le Figaro* (10 mai '30) 5

930053 Normandy, Georges: Gloire de F' à Croisset. Ds: *L'Esprit français* (28 février '30)

930054 Oppeln-Bronikowski, Friedrich von: Zum 50. Todestag F's. Ds: *Kölnische Zeitung* (11. Mai '30)

930055 Pitollet, Camille: Une mystification littéraire. Le Bibliomane assassin. Contribution à l'histoire des œuvres de F'. Ds: *Mercure de Flandre* (novembre '30) 26–47

930056 Rainalter, Erwin: F'. Ds: *Berliner Börsenzeitung. Kunst,* 105 ('30)

Régnier, Henri de: F' et les fantômes de Trouville. CR de Gérard-Gailly: *F' et les fantômes de Trouville.* Voir 930032

930057 Reuillard, Gabriel: Du nouveau sur *Madame Bovary.* Ds: *NL* (30 août '30) 5

930058   Rossillon, P.: F' et la musique. Ds: *Guide du Concert* (16 mai '30)

930059   Rouault de la Vigne, René: Les sources d'inspiration de *Madame Bovary* à Neufchâtel-en-Bray. Ds: *Journal de Rouen* (31 août '30) 2

930060   Roy, Hippolyte: *La Vie héroïque et romantique du Docteur Charles Cuny.* Ps: Berger-Levrault, '30. xvii, 263p.

930061   Roya, M.: F' auteur dramatique. Ds: *NL* (19 avril '30) 1. (Avec trois lettres de George Sand.)

930062   Scheyer, Moritz: F'. Zum 50. Todestag. Ds: *Die Propyläen* XXVII, ('30) 252

930063   Schneider, L.: A propos de *La Tentation de Saint Antoine.* Ds: *Le Temps* (13 mai '30) 3

930064   Schotthöfer, F.: F'. Ds: *Frankfurter Zeitung* (5. Juni '30)

930065   Souday, Paul: F'. Ds: P. Souday: *Les Livres du Temps.* t. III. Ps: Emile-Paul, '30, 151–160

930066   Tersane, Jacques: Le cinquantenaire de la mort de F'. Ds: *Le Temps* (9 mai '30) 4

930067   Thieme, Hugo: F'. Ds: H. Thieme: *Bibliographie de la littérature française de 1800 à 1930.* Ps. t. I, '33, 738–744

        Toffanin, Giuseppe: F' critico e l'ultimo De Sanctis. Voir 921135

930068   Treion, Léon: L'enterrement de F'. Ds: *NL* (19 avril '30) 4

930069   Urzidel, Johannes: F'. Ds: *Berliner Börsencourier*, 207 ('30)

930070   Vanwelkenhuyzen, Gustave: *L'Influence du naturalisme français en Belgique.* Bruxelles: Palais des Académies, '30. (Voir surtout 36–38 sur F'.)

930071   Weck, René de: L'ascéticisme de F'. Ds: *Mercure*, 766 (15 mai '30) 5–26

930072   Wolff, Maurice: Une visite à F'. Ds: *Le Figaro* (10 mai '30) 6–7

930073   XY: Ce que voulaient les conteurs des *Soirées de Médan* Ds: *Marges*, 9 ('30) 57–58. (Lettre de Maupassant à F', du 5 janvier 1880.)

930074   XY: Le Cinquantenaire de *Bouvard et Pécuchet*. Ds: *Le Figaro* (17 septembre '30) 5

930075   XY: Le goût de F' pour les costumes orientaux. Ds: *Le Figaro* (10 mai '30) 5

Editions

931001　*Madame Bovary.* Illustré de 56 aquarelles de Charles Léandre, gravées à l'eau-forte en couleurs. Ps: Auguste Blaizot et fils, '31. 390p.

931002　*Madame Bovary.* Translated by Henry Blanchamp. Ldn: Collins, '31. 346p. (Masterpieces of Literature.)

931003　*Salammbô.* Illustré par Pierre Noël. Ps: Editions Mornay, '31. 464p.

931004　*Salammbô.* 31 bois originaux de Morin-Jean. Ps: Fayard, '31. 191p.

931005　*Salammbô.* Translated by J. S. Charles. Introduction by F. C. Green. Ldn: Dent, '31. 319p. (Everyman's Library.)

931006　*Salammbô.* Translated, with an introduction by Ben Ray Redman. Illustrated and decorated by Mahlon Blaine. New York: Tudor Publishing Co., '31. xxiii, 338p.

931007　*Salammbô.* Translated by E. Powys Mathers. Illustrated with wood engravings by Robert Gibbins. New York: Random House, '31. 318p.

931008　(*La Tentation de Saint Antoine.*) *Art et Action. Le Théâtre du Livre*, II. *La Tentation de Saint Antoine*, mise en scène de Louise Lara. Ps: J. Corti, '31.

931009　*Trois contes.* Introduction d'Edmond Pilon. Ps: Piazza, '31. 216p.

931010　— Brunet, Gabriel: CR. Ds: *Mercure* (1er avril '31) 135

931011　Un manuscrit inédit de F'. *Souvenirs, notes et pensées intimes.* Ds: *Le Figaro* (7 novembre '31) 5–6

Correspondance

931012　Lettre à George Feydeau. Ds: *Le Manuscrit Autographe*, 6e année, 33 (mai–juin '31) 6–8

931013　— Boutarel, M.: Commentaire. Ds: *Le Manuscrit Autographe*, 6e année, 33 (mai–juin '31) 57–60

931014　Maupassant, Guy de: Lettre à F'. Ds: *Le Manuscrit Autographe*, 6e année, 35 (septembre–octobre '31) 26–31

931015   — Royère, Jean: Commentaire. Ds: *Le Manuscrit Autographe*, 6e année, 35 (septembre–octobre '31) 38–41

Autour de Flaubert

931016   *Catalogue des Ventes.* Succession de Mme Franklin-Grout. Vente de manuscrits, lettres autographes, et objets. (Paris, Hôtel des Ventes, 18, 19 novembre '31). Ps: Morot, '31.

931017   *Catalogue des Ventes.* Succession de Mme Franklin-Grout. Catalogue des meubles, objets d'art, livres garnissant la Villa Tanit, ayant appartenu à F' qui seront vendus les 28, 29, 30 avril à Antibes. Ps: Morot, '31. 43p.

Critique

931018   Auriant: *Salammbô.* Ds: *L'Esprit Français* (10 avril '31)

930019   Balde, Jean: F' et sa mère. Ds: *NL* (21 février '31) 8

931020   Bertrand, Louis: Les dernières reliques de F'. Ds: *Le Figaro* (21 novembre '31) 1–2

    Boutarel, M.: Commentaire sur une lettre de F' à Georges Feydeau. Voir 931013

931021   Brod, Max: La chambre natale de F'. Ds: *Le Siècle médical* (septembre '31)

    Brunet, Gabriel: *Trois contes.* Voir 931010

931022   Canu, Jean: L'œuvre dramatique de F'. Ds: *RHLF,* XXXVIII (octobre–décembre '31) 532–560; XXXIX (janvier–mars '32) 45–72; (avril–mai '32) 190–203

    Cé, Camille: voir Gaumont, J.: 931034

    Charpentier, John: CR de Gérard-Gailly: *F' et les 'fantômes de Trouville'.* Voir 930033

931023   Deffoux, Léon: Le pupitre de F'. Ds: *L'Œuvre* (20 novembre '31) 2

931024   Deffoux, Léon: A propos de la vente Franklin-Grout. Les manuscrits et la *Correspondance* de F'. Ds: *NL* (18 avril '31) 8

931025   Deffoux, Léon: La dédicace de *L'Assommoir* à F'. Ds: *NL* (11 avril '31) 1

931026   Demorest, Don Louis: *A travers les plans, manuscrits et dossiers de 'Bouvard et Pécuchet'*. Ps: Conard, '31. 164p.

931027   Demorest, Don Louis: *L'Expression figurée et symbolique dans l'œuvre de F'*. Ps: Les Presses Modernes, '31. 705p. (Thèse, Paris.)

931028   Descaves, Lucien: Un culte aux enchères. Ds: *L'Œuvre* (21 novembre '31) 1

931029   Desthieux, Jean: La vente Franklin-Grout-F' à Antibes. Ds: *NL* (25 avril '31) 4

931030   Desthieux, Jean: Quelques précisions sur le testament de la nièce de F'. Ds: *NL* (2 mai '31) 8

931031   Desthieux, Jean: La vente Franklin-Grout ou la seconde mort de F'. Ds: *NL* (16 mai '31) 8

931032   Dumesnil, René: La nièce de F'. Ds: *La Critique littéraire. Bulletin mensuel de l'Association syndicale de la critique littéraire* (15 mars '31) 7–8

931033   Duvernois, Henri: La vente F'. Ds: *Candide* (7 mai '31) 3

931034   Gaumont, J. et Cé, Camille: L'Unique amour de F'. Ds: *Le Figaro* (17 janvier '31) 5. (Sur F' et Elisa Schlésinger.)

931035   Halévy, Daniel: Lecture de F'. Ds: *Candide* (26 mars '31) 3

             Henriot, Emile: Mérimée, Du Camp , F' et une dame. CR de M. Parturier: *Autour de Mérimée.* Voir 931047

931036   Jean Maurienne: *Chateaubriand, F', Zola.* Ps: Keller, '31.

931037   Lambert, Pierre-Marie: La source d'un chapitre de *Madame Bovary.* L'opération du pied bot. Ds: *Mercure,* 793 (1er juillet '31) 200–202

931038   Le Corbeiller, Armand: Deux manuscrits de F'. Ds: *Notre Vieux Lycée,* 55 ('31) 14–22. (Sur *Bouvard et Pécuchet* et *Trois contes.*)

931039   Le Corbeiller, Armand: Les reliques de F'. Ds: *Le Figaro* (23 novembre '31) 5

931040   Lefranc, Jean: Les essais enfantins de F'. Ds: *Le Temps* (22 décembre '31) 1

931041   Lerch, Eugen: F', Richard Wagner, Heine und Schlésinger. Ds: *Kölnische Zeitung* (28. Juni '31)

931042   Lévy-Valensi, J.: Bovarysme et constitutions mentales. Ds: *Journal de Psychologie normale et pathologique* ('31) 289–299

931043   Lucas, F. L.: F', or Life and Letters. Ds: *Life and Letters* (November '31) 311–333

Lugli, Vittorio: CR de Gérard-Gailly: *F' et les 'fantômes de Trouville.'* Voir 930034

Maupassant, Guy de: Lettre à F'. Voir 931014

931044   Monda, Maurice: Les manuscrits de F'. Ds: *Le Figaro* (22 avril '31) 5

931045   Monda, Maurice: L'Eulalie de F'. Ds: *Le Figaro* (14 novembre '31) 6. (Sur F' et Eulalie Foucaud.)

931046   Parturier, Maurice: Autour de Mérimée. *Les Forces Perdues* et *L'Education sentimentale.* Ds: *Bulletin du Bibliophile* (20 novembre '31) 487–492; (20 décembre '31) 533–539. Ps: Giraud-Badin, '32. 19p.

931047   — Henriot, Emile: Mérimée, Du Camp, F' et une dame. Ds: *Le Temps* (22 décembre '31) 2. Aussi ds: E. Henriot: *Courrier Littéraire. XIXe siècle. Réalistes et Naturalistes.* Ps: Albin Michel, '54, 76–83

931048   — Auriant: En marge de *L'Education sentimentale.* Une fausse identification. Le trio Frédéric Moreau, Hussonnet, Dussardier. Ds: *Marges* (juillet '32) 74–82

931049   Prod'homme, Jacques-G.: Un scénario inédit de F' pour *Salammbô.* Ds: *Mercure*, 795 (1er juillet '31) 762–764

Puy, Michel: F' est-il un grand écrivain? Voir 929027

931050   Reuillard, Gabriel: Promenade sentimentale. Si F' revenait... Ds: *Annales politiques et littéraires* (15 octobre '31) 357–358

Royère, Jean: Lettre de Maupassant à F': Commentaire. Voir 931015

931051 Somès, Armand: *Monsieur Homais*. Ps: Figuière, '31. 189p.

931052 Tersane, Jacques: La nièce de F'. Ds: *Le Temps* (1er juillet '31) 5

931053 Trintzius, René: Si F' avait vu'ça. Ds: *NL* (10 janvier '31) 1

931054 Vandérem, Fernand: Les livres négligés. Maxime Du Camp: *Le Livre posthume*; *Les Forces perdues*. Ds: *Bulletin du Bibliophile* (20 avril '31) 145–149. (Sur *L'Education sentimentale*.)

931055 Williams, J. K.: The ecstasy of F'. Ds: *French Quarterly* (March '31) 53–61

931056 Zaleski, Z. L.: Les relations polonaises de F'. Ds: *RLC*, XI ('31) 647–686. Aussi ds: Z. L. Zaleski: *Attitudes et Destinées*. Ps: Les Belles Lettres, '32, 146–152

931057 Zunker, Luise Dorothea: *F's Kunsttheorie in ihrem Werden*. Munster: Helios Verlag, '31. 81p.

931058 XY: La vente F'. Ds: *Le Figaro* (16 mai '31) 6

931059 XY: Discours de M. Pierre Mortier aux obsèques de Mme Franklin-Grout, née F'. Ds: *Chronique de la Société des Gens de Lettres* (mars '31) 140–142

Editions

932001   *(Bibliomanie.)*   *Bogtyven fra Barcelona.* Oversat og udgivet af Grete Jacobsen, Tegninger af Karen Jacobsen. Kobenhavn: Levin og Munksgaard, '32. 70p; Stockholm: Whalstrom og Windstrand, '44. 70p.

932002   *Madame Bovary.* Présenté par E. Pilon. Illustrations dessinées spécialement par Charles Guérin. Ps: H. Piazza, '32. vii, 440p.

932003   *November.* Introduction by John Cowper Powys. Translation by Frank Jellinek. Illustrations by Hortense Ansorge. New York: Roman Press, '32. 215p.

932004   F's Notebook. Ds: *Living Age,* CCCXLI (January '32) 461

932005   Une page inédite de F'. Ds: *Le Candide* (22 septembre '32) 3. (*Rêve*, publié par J.-S. Marchand.)

Autour de Flaubert

932006   F'. Service de Presse de *L'Education sentimentale.* Ds: *Le Manuscrit Autographe*, 7e année, 37 (janvier–février–mars '32) 32–33

932007   — Royère, Jean: Commentaire. Ds: *Le Manuscrit Autographe*, 7e année, 37 (janvier–février–mars '32) 66–67

Critique

932008   Augustin-Thierry, A.: La fin de La Présidente. Ds: *Le Temps* (23 août '32)

Auriant: En marge de *L'Education sentimentale.* Une fausse identification. CR de M. Parturier: *Autour de Mérimée.* Voir 931048

932009   Auriant: L'Hôtel du Nil, résidence de F' au Caire. Ds: *Mercure* (15 octobre '32) 508–509

932010   Bachelin, Henri: L'Art et le Roman. Ds: *Marges* (juillet '32) 84–89. (Sur F' et Balzac.)

932011   Bachelin, Henri: La Critique et la Morale. Ds: *Marges* (octobre '32) 138–145. (Sur Sainte-Beuve et F'.)

932012   Bertrand, Georges-Emile: Un pastiche de F' pris pour un original. Ds: *Mercure*, 806 (15 janvier '32) 436–440.

(Sur un pastiche de lettre de F' dans la *Correspondance*, 8e série, '31, p.48, lettre 1681.)

932013 Bertrand, Louis: La Riviera que j'ai connue. II: Madame Franklin-Grout. Ds: *Revue des deux mondes* (1er novembre '32) 72–93

932014 Brault, Dr. Jacques-Félix-René: *Considérations médicales sur la sensibilité de F'.* Bordeaux: Delmas, '32. 64p. (Thèse de Médecine, Bordeaux.)

Canu, Jean: L'œuvre dramatique de F'. Voir 931022

932015 Canu, Jean: Jour de marché à Ry. Ds: *Le Figaro* (29 octobre '32) 6

932016 Canu, Jean: F' et la phrase finale d'*Une Vie.* Ds: *MLN*, XLVII ('32) 26–28

932017 Chardon, Pierre: Relire F'. Ds: *Action Française* (28 juillet '32) 3–4

932018 Dailliez, G.: Au pays de *Madame Bovary.* Ds: *Mémoires de la Société d'Emulation de Cambrai*, LXXIX ('32) 217–230

Daudet, Léon: CR de R. Dumesnil: *F'. L'Homme et l'œuvre.* Voir 932021

932019 Deffoux, Léon: *Le Pastiche littéraire. Des origines à nos jours.* Ps: Delagrave, '32. 303p.

932020 Dumesnil, René: *F'. L'Homme et l'œuvre, avec des documents inédits.* Ps: Desclée de Brouwer, '32. 530p.

932021 — Daudet, Léon: CR. Ds: *Candide* (2 février '32) 4

932022 — Auriant: CR. Ds: *L'Esprit Français* (10 février '33) 216–221

932023 — Billy, André: Le F' de Dumesnil. Ds: *L'Œuvre* (3 janvier '33) 5

932024 — Henriot, Emile: CR. Ds: *Le Temps* (2–3 janvier '33) 3–4. Aussi ds: E. Henriot: *Courrier Littéraire. XIXe siècle. Réalistes et Naturalistes.* Ps: Albin Michel, '54.

932025 — Rouault de la Vigne, René: Sur les pas de F'. Ds: *Journal de Rouen* (31 janvier '33) 5–6

932026 — Barjac, Claude: CR. Ds: *Le Larousse mensuel illustré*, 323 (janvier '34) 597–598

932027 — Martineau, René: F' d'après un livre récent. Ds: *Amitiés* (janvier '34) 132–139

932028 — Giraud, Victor: Le cas de F'. Ds: *Revue des deux mondes* (1er juillet '36) 217–229

932029 Dumesnil, René: F', Goethe et *Saint Antoine*. Ds: *Le Figaro* (20 décembre '32) 5

932030 Dumesnil, René: Sur F'. Ds: *NL* (24 décembre '32) 4

932031 Dumesnil, René: La dame aux violettes de F'. Ds: *Marges* (octobre '32). (Sur F' et Jeanne de Tourbey.)

932032 Dumesnil, René: Quatre épisodes de la vie sentimentale de F'. Elisa Schlésinger; Eulalie Foucaud; Koutchiuk-Hânem; Louise Colet. Ds: *Mercure*, 820 (15 août '32) 5–37

932033 Eich, Günter: Zu F's *Education sentimentale*. Ds: *Die Kolonne*, 3 ('32) 45

932034 Falkland, Charles: (Note sur *Madame Bovary*). Ds: *The Listener* (17 February '32) 230

932035 Faure, Gabriel: A Gênes avec F'. Ds: *Le Figaro* (27 février '32) 5

932036 Gérard-Gailly: Sur Madame Franklin-Grout, la nièce de F'. Ds: *Mercure*, 821 (1er septembre '32) 434–438

932037 Gérard-Gailly: F' et l'énigme de Madame Arnoux. Documents inédits. Ds: *La Revue mondiale* (septembre '32) 95–102. (Sur Elisa Schlésinger.)

932038 Gérard-Gailly: *L'Unique passion de F'. Madame Arnoux*. Alençon: Le Divan, '32. 132p.

932039 — Truc, Gonzague: CR. Ds: *Action Française* (27 octobre '32) 3

932040 Henriot, Emile: Un amour de F'. Ds: *Candide* (21 janvier '32) 3

932041 Kopal, Josef: *F'*. Bratislava: Vydala Filosofická Faculta University Komenskeho, '32. 183p.

932042 Lacoste, P.: Flaubertistes. Ds: *La Grande Revue* (septembre '32) 430–439

932043 Le Corbeiller, Armand: Vente du manuscrit des *Trois contes*. Ds: *Notre Vieux Lycée*, 58 ('32) 182–183

932044 Lièvre, Pierre: Pradier. Ds: *La Revue de Paris* (15 août '32) 807–827; (1er septembre '32) 172–201

932045 Lièvre, P.: F' et Pradier. Ds: *NL* (24 décembre '32) 10; (14 janvier '33) 8; (28 janvier '33) 10

932046 Pommier, Jean: Les relations entre F' et Baudelaire. Ds: *Alsace Française*, XII, 24 (12 juin '32)

932047 Pommier, Jean: Baudelaire juge de F'. Ds: *Alsace Française*, XII, 30 (24 juillet '32) 617–619

932048 Reboux, Paul: *Discours prononcé à l'Académie Française par M. Désiré Nisard pour la réception de F'*. Recueilli par P. Reboux. Ps: Editions du Trinon, '32.

932049 Rémond, Alfred: Des souvenirs inédits. Un octogénaire de Croisset nous parle du grand F'. Ds: *Journal de Rouen* (26 juin '32) 2

Royère, Jean: F'. Service de Presse de *L'Education sentimentale*. Voir 932007

932050 Strowski, Fortunat: Quelques amis polonais de Balzac et de F'. Ds: *Gringoire*, 5e année, 203 (23 septembre '32) 4

932051 Thibaudet, Albert: La femme aimée de F'. Ds: *Candide* (10 novembre '32) 5. (Sur Elisa Schlésinger.)

Truc, Gonzague: L'Unique passion de F'. CR de Gérard-Gailly: *L'Unique passion de F'*. Voir 931056

Zaleski, Z. L.: Les relations polonaises de F'. Voir 931056

932052 XY: F' au hameau de Villers. Ds: *Journal des Débats*, XXXIX, 1 (29 janvier '32) 144

Editions

933001   *Madame Bovary*. Traduzione di Bruno Omhet. Con 'Il processo di *Madame Bovary*', a cura di Guido Da Verona. Milano: SEL (Società edizione Lombarda), '33. 479p.

933002   *La Tentation de Saint Antoine*. Illustrations d'Odilon Redon. Ps: A. Vollard, '33. 207p.

Autour de Flaubert

933003   (*Madame Bovary*: Le Procès.) Ordre des Avocats d'Alger. Séance solonnelle. Allocution de Me Peringuay. Discours de Me Marcel Iubiana. Le procès de *Madame Bovary* et de Me Yves Antiphon. Alger, '33. 52p.

Critique

933004   Alain: F'. Ds: Alain: *Propos de Littérature*. Ps: Hartmann, '33, 226–228. ('Je ne sais point trouver en F' des profondeurs ni des ressources'.)

    Auriant: CR de R. Dumesnil: *F'*. Voir 932022

    Billy, André: Le F' de Dumesnil. Voir 932023

933005   Canu, Jean: La couleur normande de *Madame Bovary*. Ds: *PMLA*, XLVIII (March '33) 167–208

933006   Cather, Willa: Chance meeting. Ds: *Atlantic Monthly*, CLI (February '33) 154–165

933007   Dane, Ivo: *Die symbolische Gestaltung in der Dichtung F's*. Löningen i. Oldbg.: Schmücker, '33. 117p. (Thèse, Köln, '34.)

933008   Das, Millicent A.: The literary ideas of F' as revealed in his *Correspondance*. Ds: *Calcutta Review* (January '33) 113–133

933009   Dufay, Pierre: La dernière Saint-Polycarpe, 27 avril 1880. Ds: *Le Figaro* (28 janvier '33) 6

933010   Dumesnil, René: *La publication des 'Soirées de Médan'*. Ps: Malfère, '33. 207p. (Contient de nombreuses références à l'influence de F'.)

933011   Dumesnil, René: *Boule de Suif* et la mort de F'. Ds: *La Revue des Vivants*, 7e Année, 4 (avril '33) 579–591

933012 Dumesnil, René et Demorest, Don Louis: Bibliographie de F'. Ds: *Bulletin du Bibliophile* (20 novembre '33) 439–502; (20 décembre '33) 542–552; (20 janvier '34) 13–22; (20 février '34) 84–88; (20 mars '34) 124–129; (20 avril '34) 160–167; (20 mai '34) 214–219; (20 juin '34) 265–272; (20 juillet '34) 305–314; (août–septembre '34) 372–382; (20 octobre '34) 459–468; (20 novembre '34) 500–507; (20 décembre '34) 556–561; (20 janvier '35) 25–32; (20 février '35) 70–77; (20 mars '35) 130–136; (20 avril '35) 170–177; (20 mai '35) 220–225; (20 juin '35) 260–266; (20 juillet '35) 310–316; (20 octobre '35) 453–461; (20 décembre '36) 534–539; (20 janvier '37) 12–19; (20 février '37) 62–67; (20 mars '37) 125–133; (20 avril '37) 174–179; (20 mai '37) 217–222; (20 juin '37) 275–281; (20 juillet '37) 322–329; (août–septembre '37) 391–401; (20 octobre '37) 452–460; (20 novembre '37) 498–505; (20 décembre '37) 549–555; (20 janvier '38) 25–32; (20 février '38) 75–82; (20 mars '38) 134–142; (20 avril '38) 168–175; (20 juillet '38) 311–317; (août–septembre '38) 404–419; (20 octobre '38) 452–459; (20 novembre '38) 512–517; (20 décembre '38) 557–562; (20 janvier '39) 27–33; (20 février '39) 76–82; (20 mars '39) 128–135; (20 avril '39) 183–187; (20 mai '39) 232–237; (20 juin '39) 265–275. Ps: Giraud-Badin, '37. 360p. (La couverture et l'achevé d'imprimer portent '1939'.)

933013 Faure, Gabriel: Deux Français à Gênes. F'. Ds: G. Faure: *Les Rendez-vous italiens.* Ps: Fasquelle, '33, 63–73

933014 Faure, Gabriel: F' à Rome. Ds: *Le Figaro* (2 mars '33) 5

933015 Fischer, E. W.: Louise Colets Treubrüche. Ds: *Berliner Tageblatt*, 359 ('33)

933016 Fleury, R.-A.: Une opinion sur F'. Ds: *Mercure* (15 octobre '33) 496–500

933017 Frejlich, Hélène: *F' d'après sa 'Correspondance'.* Ps: Société française d'éditions littéraires et techniques, '33. 502p.

933018 Gaultier, Jules de: Le Bovarysme de l'organe et de la fonction. Ds: *Mercure*, 850 ('33) 5–25

933019 Guddorf, Helene: *Der Stil F's.* Münster: H. Pöpping-haus, '33. 86p.

933020 Haas, Eugen: *F' und die Politik.* Biella: Amosso, '33. 99p. (Thèse, Heidelberg, '31.)

1933

933021	Haloche, Maurice: Essai sur F'. Ds: *Vivre* (Bruxelles) (décembre '33–septembre '34)
	Henriot, Emile: CR de R. Dumesnil: *F'. L'Homme et l'œuvre.* Voir 932024
933022	Hirsch, Paul A.: A propos de la préoriginale de *Madame Bovary.* Ds: *Bulletin du Bibliophile* (20 décembre '33) 576
933023	Jasper, Gertrude: The influence of F's travels in the Orient on the last edition of *Saint Antoine.* Ds: *MLN*, XLVIII ('33) 162–165
933024	Larguier, Léo: Visites à *Madame Bovary.* Ds: *NL* (29 juillet '33) 1, 5
	Lièvre, Pierre: F' et Pradier. Voir 932045
	Lugli, Vittorio: F'. Voir 926028
	Lugli, Vittorio: F' e *Il Don Chisciotte.* Voir 927038
	Lugli, Vittorio: L'esempio di *Wilhelm Meister.* Voir 928035
933025	Melang, W.: *F' als Begründer des literarischen 'Impressionismus' in Frankreich.* Emsdetten: H. und J. Lechte, '33. v, 90p.
933026	Melcher, Edith: F' and Henry Monnier. A study of the bourgeois. Ds: *MLN*, XLVIII (March '33) 156–162
933027	Monda, Maurice: La vente F' à L'Hôtel Drouot. Ds: *Toute L'Edition* (11 février '33) 3
933028	Pannetier, Odette; Carco, Francis; La Fourchardière, D. de; Lacretelle, J. de; Sennep, J.: *Les incarnations de Madame Bovary.* Illustrations de J. Hémerd, A. Galland, J. Sennep, Roubille et H. Hamon. Ps: R. Dacosta, '33. 80p. (Parodies du roman.)
933029	Richard, Marius: *Madame Bovary* sous les projecteurs. Ds: *Toute L'Edition* (4 mars '33) 1, 3. (Sur la possibilité d'un film du roman.)
933030	Rouault de la Vigne, René: A propos d'une correspondance inédite. F'- Laporte. Ds: *Journal de Rouen* (9 mars '33) 5; (19 mars '33) 4; (20 mars '33) 4

Rouault de la Vigne, René: Sur les pas de F'. CR de R. Dumesnil: *F'. L'Homme et l'œuvre.* Voir 932025

933031 Spalikowski, Edmond: *Autour de F'.* Rouen: Lainé, '33. 27p. (F' et Adolphe Chéruel.)

933032 Stonier, G. W.: (Le pessimisme de F' et de Joyce.) Ds: G. W. Stonier: *Gog Magog.* Ldn: Dent, '33, 19–42

933033 Tharaud, Jérôme et Tharaud, Jean: Un ami de Goncourt et de F'. Charles-Edmond. Ds: *NL* (5 août '33) 1

933034 Vandérem, Fernand: La pension de F'. Ds: *Le Figaro* (28 janvier '33) 5

933035 XY: Le Cabinet de travail et la bibliothèque de F' seront-ils reconstitués à Rouen? Ds: *Journal de Rouen* (7 février '33) 5–6

933036 XY: Le Comice agricole au pays de *Madame Bovary.* Ds: *Candide* (31 août '33) 5

933037 XY: F' à L'Hôtel Drouot. Ses lettres à Edmond Laporte. Ds: *Journal de Rouen* (14 mars '33) 5

933038 XY: F' à L'Hôtel Drouot. Les ventes du 17 et 20 mars. Ds: *Journal de Rouen* (28 mars '33) 5

Editions

934001   *Der Büchernarr.* Deutsche Übersetzung von Erwin Riegers. Wien: H. Reichner, '34. 30p.

934002   *La Légende de Saint Julien l'Hospitalier.* Illustré de 26 compositions originales dessinées et gravées par M.-E. Hunter. Ps: Aux dépens d'un amateur, '34. 81p.

934003   *Madame Bovary.* Costumi di provincia. Nuovo traduzione di Girolamo Lazzari. Milano: Sesto San Giovanni, A. Barion, Casa per edizioni popolari, '34. 398p.

Critique

934004   Ambrière, Francis: Les ennuis d'argent de F'. Ds: *Mercure*, 260 (1er novembre '34) 519–534. (Sur F' et E. Laporte.)

934005   Arnoux, Alexandre: Le cinéma: *Madame Bovary.* Ds: *NL* (13 janvier '34) 12. (Sur l'adaptation de Jean Renoir.)

934006   Auriant: Avant la projection sur l'écran: *Madame Bovary* mise en pièce par W. Busnach. Ds: *Mercure*, 854 (15 janvier '34) 465–474

934007   Auriant: Une source de *Madame Bovary.* Ds: *Mercure* (15 décembre '34) 616–619. Aussi ds: Auriant: *Koutchouk-Hânem... suivi de onze essais sur la vie de F'.* Ps: Mercure de France, '43, 77–84. (Sur Maxime Du Camp : *Le Livre posthume* et le personnage d'Emma Bovary.)

Barjac, Claude: CR de R. Dumesnil: *F'. L'Homme et l'œuvre.* Voir 932026

934008   Becker, Heinrich: F' als Briefschreiber. Ds: *Zeitschrift für französischen und englischen Unterricht*, XXXV ('34) 110–116

934009   Billy, André: *Madame Bovary* à l'Opéra. Ds: *Le Figaro* (19 septembre '34) 4. (Sur l'adaptation cinématographique de Jean Renoir.)

934010   Binswanger, Paul: *Die ästhetische Problematik F's.* Frankfurt: Klostermann, '34. 183p.

934011   Bonnerot, Jean: Une source de *Salammbô.* Ds: *RHLF*, XLI (octobre–novembre '34) 569–572

934012   Brunon Guardia, G.: Homais a-t-il existé? Ds: *NL* (8 décembre '34) 7. (Sur Adolphe Jouanne.)

934013   Decaris, Germaine: L'actualité cinématographique. *Madame Bovary.* Ds: *Germinal* (20 janvier '34) 7. (Sur l'adaptation de Jean Renoir.)

934014   Descaves, Lucien: F' et le théâtre. Ds: *NL* (20 janvier '34) 1. (Sur la pièce de William Busnach, 1906.)

934015   Dufay, Pierre: F' et Madame de Loynes. Ds: *L'Intermédiaire des ·Chercheurs et des Curieux* (15 décembre '34) 947–952

          Dumesnil, René et Demorest, Don Louis: Bibliographie de F'. Voir 933012

934016   Ferguson, Walter: *The Influence of F' on George Moore.* Philadelphia: University of Pennsylvania Press, '34. 108p.

934017   Gaultier, Jules de: Madame Lafarge ou la lutte contre les évidences. Ds: Mercure (1er septembre '34) 449–467

934018   Gérard-Gailly: *Autour de F'. Les véhémences de Louise Colet, d'après des documents inédits.* Ps: Mercure de France, '34. 240p.

934019   Gérard-Gailly: F' et Daniel Darc. Ds: *Revue Franco-Belge*, XIV (octobre–novembre '34) 485–496

934020   Heberholz, M.: *Dichtung und Wahrheit im F's 'Madame Bovary'. Kritik an Du Camps Bericht über die Entstehung des Werkes. F's Jugendwerk 'Passion et vertu'.* Bochum: H. Pöppinghaus, '34. 58p.

934021   Houville, Gérard d': Un chef d'œuvre à l'écran. *Madame Bovary.* Ds: *Revue des deux mondes* (15 février '34) 10. (Sur l'adaptation de Jean Renoir.)

934022   Lehmann, René: Les films nouveaux. Ciné-opéra. *Madame Bovary.* Ds: *L'Intransigeant* (13 janvier '34) 10. (Sur l'adaptation de Jean Renoir.)

934023   Lewis, P. Wyndham: F'. The Ivory Tower. Ds: P. Wyndham Lewis: *Men without art.* Ldn: Cassell, '34, 260–277

934024   Lombard, Alfred: *F' et Saint Antoine.* Neuchâtel: Victor Attinger, '34. 109p.

934025   Marsan, Jules: F' et le monde des lettres. Ds: *Archer* (Toulouse) (avril '34)

          Martineau, René: CR de R. Dumesnil: *F'. L'Homme et l'œuvre.* Voir 932027

934026   Martino, Pierre: Notes sur le voyage de F' dans la Régence de Tunis et en Algérie (1858). Ds: *Mélanges offerts à Joseph Vianey.* Ps: Les Presses Françaises, '34, 447-457

934027   Mayoux, Jean-Jacques: F' et le réel. Ds: *Mercure*, 856 (15 février '34) 33-52

934028   Miller, L. Gardner: F' and Baudelaire. Their correspondence. Ds: *PMLA*, XLIX ('34) 630-644

934029   Miller, L. Gardner: *Index de la 'Correspondance' de F', précédé d'une étude sur F' et les grands poètes romantiques.* Strasbourg: Imprimerie des Dernières Nouvelles de Strasbourg, '34. 203p. (Thèse, Strasbourg. Index à l'Edition du Centenaire. Voir 921001.)

924030   Rouville, François: Cinéma. *Madame Bovary.* Ds: *L'Opinion* (1er février '34) 11-13. (Sur l'adaptation de Jean Renoir.)

934031   Spalikowski, Edmond: F' et Louis Bouilhet. Ds: *Rouen-Gazette* (23 juin '34)

934032   Thibaudet, Albert: Conclusions sur F'. Ds: *Nouvelle Revue Française* (1er avril '34) 263-268

934033   Thibaudet, Albert: F' in love. Ds: *Living Age*, CCCXLVI ('34) 456-457

934034   Tumerelle, Maurice: F' et Dostoïewsky. Ds: *Thyrse*, XXXVI ('34) 185-187

934035   Vinneuil, François: Le cinéma: *Madame Bovary.* Ds: *Je suis partout*, 164 (13 janvier ('35) 6. (Sur l'adaptation de Jean Renoir.)

934036   Wartburg, Walther von: F' Ds: W. von Wartburg: *Evolution et structure de la langue française.* Leipzig-Berlin: B. G. Teubner, '34, 207-208

Editions

935001   *Madame Bovary.* Cinq compositions en couleurs de Chahine, reproduites en héliogravure. Ps: Rombaldi, '35. 383p.

935002   *Salammbô.* Cinq compositions originales en couleurs de Lobel Riche, reproduites en héliogravure. Ps: Rombaldi, '35. iv, 355p.

935003   *La Tentation de Saint Antoine.* Illustrations d'Odilon Redon. Ps: Fasquelle, '35. 129p.

935004   *La Tentation de Saint Antoine.* Cinq compositions originales en couleurs d'Edouard Chimot, reproduites en héliogravure. Ps: Rombaldi, '35. 255p.

Critique

935005   Dane, Ivo: Symbol und Mythos in F's *Salammbô.* Ds: *ZFSL*, LIX ('35) 22–45

935006   Denœu, François: L'Ombre de *Madame Bovary.* Ds: *PMLA*, L (December '35) 1165–1185

Dumesnil, René et Demorest, Don Louis: Bibliographie de F'. Voir 933012

935007   Edel, Roger: *Vincente Blasco Ibáñez in seinem Verhältnis zu einigen neueren französischen Romanschriftstellern. Zola, F', J.-K. Huysmans, J. et E. de Goncourt, G. Rodenbach.* Münster: Gutersloh-Thiele, '35. iii, 121, viiip. (Inaugural-Dissertation.)

935008   Gaultier, Jules de : Bovarysme et paranoïa. Ds: *Mercure* (15 octobre '35) 418–425

935009   Genil-Perrin, Dr., et Lebreuil, Madeleine: Don Quichotte paranoïque et le bovarysme de Don Quichotte. Ds: *Mercure*, 892 (15 août '35) 45–57

935010   Gorsse, Pierre de: Le voyage de F' dans le Midi de la France. Ds: *L'Auta*, 71 (février '35) 18–23; 72 (mars '35) 34–37. Toulouse: Imprimerie du Sud-Ouest, '35. 12p.

935011   Jasinski, René: Sur le *Saint Julien l'Hospitalier* de F'. Ds: *Revue d'Histoire de la Philosophie*, nouvelle série, III (15 avril '35) 156–173

935012   Michaut, Gustave: F': *Trois contes.* Ps: C.D.U., '35. 55, 38, 25ff. dactylographié

935013   Mortier, Alfred: F' et ses amis. Ds: A. Mortier: *Marginales.* Ps: Les Presses Modernes, '35, 212–218

935014   Pauphilet, Albert: F'. *La Légende de Saint Julien l'Hospitalier.* Ps: C. D. U., '35. 45ff

935015   Ratermanis, J.: Contribution à l'étude du style de F'. Ds: *Latvijas Universitates Raksti, Filologijas un filozofijas facultates,* III, 6 (Riga, Latvijas Universitate) ('35–'37) 169–222

935016   Régnier, Henri de: Froehner et *Salammbô.* Ds: *NL* (5 octobre '35) 1

935017   Roudaud, Hélène: Les Bovary d'hier et d'aujourd'hui. Ds: *Mercure,* 889 (1er juillet '35) 78–86

935018   Saint-Denis, E. de: Les éléphants dans *Salammbô.* Les sources de F'. Ds: *La Revue Universelle,* II ('35) 413–429

935019   Spalikowski, Edmond: F' chez lui. Ds: *Mercure,* 883 (1er avril '35) 219–220

         Thibaudet, Albert: *F'. Sa vie, ses œuvres, son style.* Voir 921127

Editions

936001   *Œuvres de F'.* Texte établi et annoté par A. Thibaudet et R. Dumesnil. Ps: Editions de la Nouvelle Revue Française, 2 vols., '36. 1070, 1007p. (Collection La Pléiade.)

(I: *La Tentation de Saint Antoine; Madame Bovary; Salammbô.*

II: *Education sentimentale; Bouvard et Pécuchet; Trois contes.*)

936002   *Les meilleurs textes.* Introduction de René Dumesnil. Ps: Desclée De Brouwer, '36. lxxx, 585p.

936003   *Œuvres posthumes. Madame Bovary.* Ebauches et Fragments inédits recueillis d'après les manuscrits par Mlle Gabrielle Leleu. Ps: Conard, '36. 2 vols. 603, 597p. (Publication du dossier des brouillons et des 487 pages de manuscrit autographe conservés à la Bibliothèque de Rouen.)

936004   — Ambrière, Francis: CR. Ds: *NL* (24 octobre '36) 5

936005   — Dumesnil, René: CR. Ds: *Bulletin du Bibliophile* (20 novembre '36) 525–527

936006   — Henriot, Emile: Les Brouillons de *Madame Bovary.* Ds: *Le Temps* (20 octobre '36) 3. Aussi ds: E. Henriot: *Courrier Littéraire. XIXe siècle. Réalistes et Naturalistes.* Ps: Albin Michel, '54, 20–25. (Sous le titre 'Du nouveau sur *Madame Bovary'.*)

936007   *Bouvard et Pécuchet.* Translated by T. W. Earp and G. W. Stonier. Ldn: J. Cape, '36. 348p.

936008   *Education sentimentale.* Avec introduction, notes et variantes par Edouard Maynial. Ps: Garnier Frères, '36. 2 vols. xi, 302, 336p. Nouvelle édition '54, '58. xii, 476p.

936009   *Madame Bovary.* Suivi des réquisitoire, plaidoirie et jugement du procès intenté à l'auteur. Introduction, notes et variantes par Edouard Maynial. Ps: Garnier Frères, '36. xxvii, 507p.; '51, '58. xxvi, 467p.

936010   *Madame Bovary.* Ps: R. Simon, '36. 2 vols.

936011   *Madame Bovary.* Avant-propos de Léo Larguier. Illustrations de Berthommé Saint-André. Ps: Georges Briffaut, '36. x, 352p.

936012   *Madame Bovary.* Edition définitive, suivie des réquisitoire, plaidoirie et jugement du procès intenté à l'auteur devant le tribunal correctionnel de Paris, audiences du 31 janvier et 7 février 1857. Introduction et notes par Roger Tisserand. Ps: Larousse, '36. 2 vols. 232, 227p.

936013   *Madame Bovary.* Ps: Gallimard, '36. 2 vols. 222, 222p. (Collection: Génie de la France.)

936014   *Madame Bovary.* Précédé d'une introduction d'André Lœwel et suivi des réquisitoire, plaidoirie et jugement du procès intenté à l'auteur devant le tribunal correctionnel de Paris. Ps: Editions de Cluny, '36. xvi, 439p.

936015   *Madame Bovary.* Edition définitive suivie des réquisitoire, plaidoirie et jugement du procès intenté à l'auteur devant le tribunal correctionnel de Paris. Illustrations hors texte d'après les compositions d'Alfred de Richemond, gravées à l'eau-forte par C. Chessa. Ps: Fasquelle, '36. 463p.

936016   *Madame Bovary.* Edimbourg; Ps: Nelson, '36. 480p.

936017   *Madame Bovary.* Extraits. Avec une notice biographique, une notice historique et littéraire, des notes explicatives, des jugements, un questionnaire et des sujets de devoirs par Jacques Nathan. Ps: Larousse, '36. 124p.

936018   *Madame Bovary.* Introduction by Carl Van Doren. New York: Book League of America, '36. 381p. (Texte en anglais.)

936019   *Salammbô.* Edition illustrée de planches hors-texte, d'entêtes et culs de lampe et de nombreux croquis dans le texte par Henri Wanner. Ps: Fasquelle, '36. 431p.

936020   *Salammbô.* Edimbourg; Ps: Nelson, '36. 375p.

936021   *Salammbô.* Illustration de J. Touchet. Ps: Hachette, '36. 256p.

936022   *Salammbô.* Notices et notes par L. Vincent. Ps: Hatier, '36. 96p.

936023   *Salammbô.* Avec introduction, notes et variantes par Edouard Maynial. Ps: Garnier Frères, 36; '59. xiii, 438p.

936024   *La Tentation de Saint Antoine.* Avec introduction, notes et variantes par Edouard Maynial. Ps: Garnier Frères, '36. xx, 314p.; '54. xxiv, 317p.

936025   *Trois contes.* Avec une notice biographique, une notice littéraire et des notes explicatives, des illustrations documentaires, un questionnaire et des sujets de compositions françaises par J. Voilquin. Ps: Hachette, '36. 96p.

936026   *Trois contes.* Texte établi et présenté par René Dumesnil. Ps: Les Belles Lettres, '36. lxxxix, 151p. Nouvelle édition '57. xcvii, 186p.

936027   *Trois contes.* Introduction par André Lœwel. Ps: Cluny, '36. xvi, 177p.

936028   *Trois contes.* Ps: Rombaldi, '36. 203p.

Critique

936029   Ambrière, Francis: Une préfiguration d'Emma Bovary. Ds: *Mercure*, 914 (15 juillet '36) 446. (Sur Musset: *La Confession d'un enfant du siècle* où Musset donne une épreuve avant la lettre d'Emma Bovary.)

936030   Ambrière, Francis: Un 'collaborateur' de F'. Ds: *Mercure*, 919 (1er octobre '36) 166–172. (Sur *Bouvard et Pécuchet*; sur F' et Edmond Laporte.)

936031   Ambrière, Francis: Comment naquit et grandit *Madame Bovary*. Ds: *Toute l'Edition* (10 octobre '36) 6

936032   Ambrière, Francis: Petite histoire de l'œuvre de F'. Ds: *Toute l'Edition* (17 octobre '36) 4

936033   Ambrière, Francis: Histoire des œuvres de F' après sa mort. Ds: *Toute l'Edition* (24 octobre '36) 6

Ambrière, Francis: Les Brouillons de *Madame Bovary*. CR de F': *Œuvres posthumes. Madame Bovary.* Ebauches et fragments inédits. Voir 936004

936034   Auriant: Madame Bovary et Madame Colet. Ds: *La France active* (mars–avril '36) 100–108

936035   Auriant: Madame Bovary, née Colet. Ds: *Mercure*, 268 (1er juin '36) 247–281

936036   Auriant: Un supplément à *Madame Bovary. Monsieur Homais voyage.* Ds: *Mercure* (1er décembre '36) 442–443. (Sur le roman de Duquesne de 1905.)

936037   Auriant: F', Charles Demailly et Albert Thibaudet. Ds: *Mercure* (15 mai '36) 221–222

936038   Auriant: Louise Colet d'après l'Etat civil. Ds: *Mercure* (1er juin '36) 444–446

         Barbey, Bernard: CR de G. Baty: *Madame Bovary* en vingt tableaux. Voir: 936041

936039   Bardon, Maurice: F'. Ds: M. Bardon: *Don Quichotte* et le roman réaliste français. Stendhal, Balzac, F'. Ds: *RLC*, XVI (janvier–mars '36) 63–81

936040   Baty, Gaston: *Madame Bovary* en vingt tableaux, d'après F'. Ds: *La Petite Illustration*, 799, Théâtre, 401 (28 novembre '36) 1–36; Ps: L'Illustration, '36. 36p.

936041   — Barbey, Bernard: CR. Ds: *Revue Hebdomadaire* (17 octobre '36)

936042   — Baty, Gaston: Pourquoi j'ai mis *Madame Bovary* à la scène. Ds: *Le Figaro* (3 octobre '36) 5, 7

936043   — Baty, Gaston: Défense du Théâtre. Ds: *Vu*, 448 (14 octobre '36) 1219

936044   — Beauplan, Robert de: *Madame Bovary* au Théâtre Montparnasse. Ds: *La Petite Illustration*, série Théâtre, 401 (28 novembre '36) Couverture, 2, 3

936045   — Bellesort, André: CR. Ds: *Journal des Débats* (12 octobre '36) 3

936046   — Bidou, H.: CR. Ds: *Le Temps* (12 octobre '36) 3

936047   — Billy, André: Sur un nouvel avatar de la pauvre Emma. Ds: *Le Figaro* (10 octobre '36) 5

936048   — Brisson, Pierre: CR. Ds: *Le Figaro* (11 octobre '36) 5

936049   — Colette: Spectacles de Paris. *Madame Bovary* au Théâtre Montparnasse. Ds: *Le Journal* (18 octobre '36) 1–2

936050   — Coquet, James de : CR. Ds: *Les Annales* (25 octobre '36) 396–398

936051   — Crémieux, Benjamin: CR. Ds: *Vendredi* (16 octobre '36)

936052   — Descaves, Lucien: Trente ans après, ou du blâme à l'approbation. Ds: *L'Intransigeant* (12 octobre '36) 10

936053   — Dubach, L.: CR. Ds: *Candide* (15 octobre '36) 19

936054   — Dumesnil, René: Défense de F'. Ds: *Vu*, 448 (14 novembre '36) 1218–1219

936055   — Jamois, Marguerite: Nous sommes toutes des Bovary. Ds: *Le Journal* (30 octobre '36) 2

936056   — Le Cardonnel, Georges: *Madame Bovary* au Théâtre Montparnasse. Ds: *Le Journal* (12 octobre '36) 8

936057   — Lièvre, Pierre: Au Théâtre Montparnasse. *Madame Bovary*. Adaptation de M. Baty. Ds: *Le Jour* (11 octobre '36) 6

936058   — Martin du Gard, Maurice: CR. Ds: *NL* (17 octobre '36) 10

936059   — Maurois, André: La semaine théâtrale. *Madame Bovary*. Ds: *Marianne* (14 octobre '36) 11

936060   — Torrès, Henry: Qui a raison? Ds: *Vu*, 448 (14 octobre '36) 1219

     (936061–936096 : Sur l'adaptation de Baty mise en scène par B. W. Levy. Theatre Guild and American Theatre Society, sixth season, 1937.)

936061   — Allen, Kelcey: *Madame Bovary*. Ds: *Women's Wear Daily* (New York) (17 November '37)

936062   — Anderson, John: *Madame Bovary* hasn't the charm of the book. Ds: *New York Journal and American* (17 November '37)

936063   — Atkinson, Brooks: The Play. Ds: *New York Times* (17 November '37)

936064   — Bell, Nelson B.: Guild Premiere reveals novel dramatic form. Ds: *Washington Post* (6 October '37)

936065   — Bell, Nelson B.: Nelson B. Bell about the showshops. Ds: *Washington Post* (7 October '37)

936066 — Bolton, Whitney: The Stage Today. Ds: *Morning Telegraph* (New York) (18 November '37)

936067 — Brown, John Mason: Two on the aisle. Ds: *New York Post* (17 November '37)

936068 — Carmody, J.: A new drama opens tonight. Ds: *Washington Evening Star* (6 October '37)

936069 — Cassidy, Claudia: On the aisle. Sensitive, active and expressive staging gives *Madame Bovary* Guild stature. Ds: *Chicago Journal of Commerce* (19 October '37)

936070 — Cohen, Harold: *Madame Bovary* at the Nixon. Ds: *Pittsburgh Post Gazette* (12 October '37)

936071 — Coleman, Robert: Constance Cummings stars in classic. Ds: *New York Daily Mirror* (17 November '37)

936072 — Collins, Charles: *Madame Bovary* in production of great merit. Ds: *Chicago Daily Tribune* (19 October '37)

936073 — Collins, Charles: Theatre Guild's production of *Madame Bovary* a hit in Chicago. Ds: *Chicago Sunday Tribune* (24 October '37)

936074 — Francis, Robert: The theatre. Ds: *The Brooklyn Daily Eagle* (17 November '37)

936075 — Gaghan, Gerard: Rising star. Constance Cummings, young stage luminary, throws a critical light on *Madame Bovary*. Ds: *Philadelphia Public Ledger* (9 November '37)

936076 — Gilbert, Paul T.: Constance Cummings a hit in *Madame Bovary*. Ds: *Chicago Herald and Examiner* (19 October '37)

936077 — Hillyer, Katherine: *Bovary* opening postponed. Ds: *Washington Daily News* (4 October '37)

936078 — Hillyer, Katherine: Constance Cummings superb in Guild's *Madame Bovary*. Ds: *Washington Daily News* (6 October '37)

936079 — Jennings, Mabelle: Brilliant *Madame Bovary* enthralls first-nighters. Ds: *Washington Herald* (October '37)

936080 — Keen, J. H.: *Madame Bovary*. She is best when she is worst. Ds: *Philadelphia Daily News* (3 November '37)

936081 — Kelley, Andrew R.: *Madame Bovary* opens. Ds: *Washington Times* (6 October '37)

936082 — Krug, Karl and Schon, Norman: *Madame Bovary.* Ds: *Pittsburgh Sun Telegraph* (12 October '37)

936083 — Lewis, Lloyd: Constance Cummings softly sturdy as Madame Bovary. Ds: *Chicago Daily News* (19 October '37)

936084 — Lockridge, Richard: The new play: *Madame Bovary.* Ds: *The New York Sun* (17 November '37)

936085 — Mantle, Burns: *Madame Bovary* handsomely produced by the Theatre Guild. Ds: *New York Daily News* (17 November '37)

936086 — Martin, Linton: The Call Boy's chat of plays and players. Ds: *Philadelphia Inquirer* (31 October '37)

936087 — Martin, Linton: *Madame Bovary* fails to impress at Chestnut. Ds: *Philadelphia Inquirer* (3 November '37)

936088 — Martin, Linton: The Call Boy's chat of plays and players. Ds: *Philadelphia Inquirer* (7 November '37)

936089 — Murdock, Henry T.: *Madame Bovary* at Chestnut. Ds: *Philadelphia Evening Public Ledger* (3 November '37)

936090 — Parry, Florence Fisher: Constance Cummings stars in Nixon play. Ds: *Pittsburgh Press* (12 October '37)

936091 — Pollack, Robert: Stage's Emma Bovary more a shadow of self. Ds: *Chicago Daily Times* (19 November '37)

936092 — Price, Edgar: The Premiere. Ds: *The Brooklyn Citizen* (17 November '37)

936093 — Schloss, Edwin H.: *Madame Bovary* bows in stage version. Ds: *Philadelphia Record* (3 November '37)

936094 — Stevens, Ashton: Guild's *Madame Bovary* a beautifully acted tribute to a great novel. Ds: *Chicago American* (19 October '37)

936095 — Watts, Richard: The theatres. Poor Emma. Ds: *New York Herald Tribune* (17 November '37)

936096   — Whipple, Sidney B.: *Madame Bovary* at the Broadhurst. Ds: *New York World Telegram* (17 November '37)

(On peut consulter à la Bibliothèque Nationale: American Newspaper and Magazine articles on the dramatisation of *Madame Bovary*, a production of the Theatre Guild, '37. Recueil factice de coupures de presse et de photographies. Feuillets paginés 1–7. Cote: Rés m. Yf. 66)

Beauplan, Robert de: *Madame Bovary* au Théâtre Montparnasse. Voir 936004

Bellesort, André: CR de *Madame Bovary*, adaptation de Gaston Baty. Voir 936045

Bidou, H.: CR de *Madame Bovary*, adaptation de Gaston Baty. Voir 936046

Billy, André: Sur un nouvel avatar de la pauvre Emma. CR de *Madame Bovary*, adaptation de Gaston Baty. Voir 936047

936097   Bourdet, Maurice: F' et Zola. Ds: *Le Petit Parisien* (13 octobre '36)

Brisson, Pierre: F' et le théâtre. CR de *Madame Bovary*, adaptation de Gaston Baty. Voir 936048

936098   Chevalley-Sabatier, Lucie: F' et sa sœur Caroline, d'après leur correspondance inédite (1839–1846). Ds: *La Revue Hebdomadaire* (décembre '36) 166–201

Colette: Spectacles de Paris. *Madame Bovary* au Théâtre Montparnasse. Voir 936049

Coquet, James de: CR de *Madame Bovary*, adaptation de Gaston Baty. Voir 936050

Crémieux, Benjamin: CR de *Madame Bovary*, adaptation de Gaston Baty. Voir 936051

Descaves, Lucien: Trente ans après ou du blâme à l'approbation. CR de *Madame Bovary*, adaptation de Gaston Baty. Voir 936052

Dubech, L.: CR de *Madame Bovary*, adaptation de Gaston Baty. Voir 936053

Dumesnil, René: Défense de F'. Voir 936054

Dumesnil, René et Demorest, Don Louis: Bibliographie de F'. Voir 933012

936099   Dumesnil, René: *'L'Education sentimentale' de F'*. Ps: Malfère, '36. 213p.

936100   Dumesnil, René: Notes sur *L'Education sentimentale*. Ds: *Mercure*, 903 (1er février '36) 449–462

936101   Dumesnil, René: Le Sottisier de *Bouvard et Pécuchet*. Ds: *Mercure* (15 décembre '36) 493–503

936102   Dumesnil, René: Louise Colet. Ds: *Mercure* (1er juin '36) 247–281

936103   Dumesnil, René: *La Tentation de Saint Antoine* de F'. Ds: *La Revue de France*, IV (1er novembre '36) 131–156

936104   Dumesnil, René: Essai de nomenclature et de classement des lettres de F' à Edmond Laporte (octobre 1866–1879). Ds: *Bulletin du Bibliophile* (20 mai '36) 213–223; (20 juin '36) 253–259; (20 juillet '36) 315–319; (août–septembre '36) 389–398; (20 octobre '36) 471–474; (20 novembre '36) 518–521

Dumesnil, René: Les manuscrits originaux de *Madame Bovary*. CR de F': *Madame Bovary*. Ebauches et Fragments inédits. Voir 936005

936105   Dumesnil, René: F'. Ds: R. Dumesnil: Le Réalisme. Ds: *Histoire de la Littérature française*. Publiée sous la direction de J. Calvet. Ps: de Gigord, '36, 79–104

936106   Dy, P.: Victor Hugo, Louise Colet et F'. Ds: *Mercure*, 906 (15 mars '36) 666–667

936107   Frejlich, Hélène: *Les amants de Mantes. F' et Louise Colet*. Ps: Société française d'éditions littéraires et techniques, '36. 163p.

936108   Giraud, Jean: Un souvenir de Michelet dans *Madame Bovary*. Ds: *RHLF*, XLIII ('36) 405–406

Giraud, Victor: Le cas de F'. CR de R. Dumesnil: *F'. L'Homme et l'œuvre*. Voir 932028

936109   Goncourt, Edmond de: Discours à l'inauguration du monument F'. (Rouen, le 23 novembre 1890). Ds: E. et J. de Goncourt: *Mémoires de la vie littéraire*. t. VIII (1889–1891). Ps: Ernest Flammarion, '36, 146–149

Guichard, Louis: CR d'A. Thibaudet: *F'*. Voir 921130

Henriot, Emile: Les Brouillons de *Madame Bovary*. Voir 936006

936110 Henriot, Emile: F' et les *Trois contes*. Ds: *Le Temps* (8 décembre '36) 3. Aussi ds: E. Henriot: *Courrier Littéraire. XIXe siècle. Réalistes et Naturalistes*. Ps: Albin Michel, '54, 49–55

Jamois, Marguerite: Nous sommes toutes des Bovary. CR de *Madame Bovary*, adaptation de Gaston Baty. Voir 936055

936111 La Pie-grièche: F' et Dabit ou deux imbéciles. Ds: *Toute l'Edition* (17 octobre '36) 1, 4. (Sur F' et Eugène Dabit.)

Le Cardonnel, Georges: *Madame Bovary* au Théâtre Montparnasse. Voir 936056

Lièvre, Pierre: Au Théâtre Montparnasse: *Madame Bovary*. Voir 936057

Martin du Gard, Maurice: CR de *Madame Bovary*, adaptation de Gaston Baty. Voir 936058

936112 Maurois, André: *Madame Bovary*. Ds: *Conferencia* (1er février '36) 173–186. Aussi ds: A. Maurois: *Cinq visages de l'amour*. Neuchâtel: Henri Messeiller, '42, 128–162

Maurois, André: Thibaudet et le style de F'. CR d'A. Thibaudet: *F'*. Voir 921131

Maurois, André: La semaine théâtrale. *Madame Bovary*. Voir 936059

Maxence, Jean-Pierre: CR d'A. Thibaudet: *F'*. Voir 921132

936113 Mense, Willibald: *Wahrheit und Dichtung in F's Jugendnovelle 'Quidquid Volueris'. Der Einfluss Victor Hugos*. Bochum: H. Pöppinghaus, '36. 45p.

936114 Pancrazi, P.: La Signora Bovary ottant'anni dopo. Article de 1936, repris ds: P. Pancrazi: *Italiani e stranieri*. Milano: Mondadori, '57, 351–357

936115 Pantke, Alfred: *F's 'La Tentation de Saint Antoine'*. Leipzig: Vogel, '36. 146p.

936116   Rabotte, Charles: La gloire de F' est-elle en hausse ou en baisse? Ds: *Le Figaro* (17 octobre '36) 5–6; (24 octobre '36) 6

936117   Richard, Marius: Chez Fasquelle, éditeur de F'. Ds: *Toute l'Edition* (10 octobre '36) 6

936118   Roger-Marx, Claude: Les Tentations de Saint Antoine. Ds: *La Renaissance* (mars–avril '36) 1–48. (Les tableaux de La Tentation de Saint Antoine.)

936119   Saillens, Emile: Du nom propre en littérature. Ds: *Mercure*, 910 (15 mai '36) 9–41. (Sur F': 32–33.)

936120   Sanvoisin, Gaëtan: Une date littéraire. Ds: *Journal des Débats* (10 octobre '36) 1

936121   Servais, Tony Hubert: *F's Urteile über die französische Literatur in seiner 'Correspondance'*. Münster: Vereinsdruck, '36. 135p. (Thèse Münster.)

936122   Stonier, G. W.: *Bouvard and Pécuchet*. Ds: *New Statesman and Nation*, XI (15 February '35) 225–226

936123   Thibaudet, Albert: F'. Ds: A. Thibaudet: *Histoire de la littérature française de 1789 à nos jours*. Ps: Stock, '36, 334–342

936124   Thibaudet, Albert: *Madame Bovary* et le cinéma. Ds: *Dépêche de Toulouse* (30 janvier '36)

          Torrès, Henry: Qui a raison? CR de *Madame Bovary*, adaptation de Gaston Baty. Voir 936060

936125   Vaulx, Bernard de: Qui était Madame Bovary? Ds: *Candide* (25 juin '36) 4. (Sur les origines du roman.)

936126   Walzel, Dr. Oskar: Die Romanischen Literaturen des 19. und 20. Jahrhunderts. Ds: *Handbuch der Literaturwissenschaft*, 203 ('36) 13–22

936127   XY: F' et le Théâtre. Ds: *Les Annales* (25 octobre '36) 399

1937

Editions

937001   *Bouvard et Pécuchet.* Notice bibliographique de L. A. Ville. Ps: R. Simon, '37. 286p.

937002   *Education sentimentale.* Avec illustrations de P.-E. Bécat. Ps: La Tradition, '37. 2 vols: 266, 301p.

937003   *Education sentimentale.* Champigny: F. Schmid, '37. 127p.

937004   *Madame Bovary.* Edition complète, suivie des réquisitoire, plaidoirie et jugement du procès intenté à l'auteur dans le tribunal correctionnel de Paris, audiences de 31 janvier et 7 février 1857. Ps: H. Béziat, '37. 2 vols: 224, 224p.

937005   *Madame Bovary.* Ps: Imprimerie spéciale des Prix uniques, '37. 320p.

937006   *Madame Bovary.* Ps: Lemerre, '37. i, 531p.

937007   *Madame Bovary.* Ps: Les Belles Editions, '37. 2 vols: 192, 192p.

937008   *Madame Bovary, Salammbô, Education sentimentale, La Tentation de Saint Antoine, Trois contes, Bouvard et Pécuchet, Correspondance. Appendice. Opinions sur F'. Bibliographie.* Introduction et notes de Francis Ambrière. Ps: Mercure de France, '37. 487p. (Extraits des romans.)

937009   *Salammbô.* Introduction sur F' par André Lœwel, et sur *Salammbô* par Paul Adda. Ps: Cluny, '37. xv, 336p.

937010   *Salammbô.* Ps: Gründ, '37. 288p.

937011   *Salammbô.* Introduction et notes par Roger Tisserand. Ps: Larousse, '37. 2 vols.: 168, 168p.

937012   *La Tentation de Saint Antoine. Trois contes.* Introduction et notes de Roger Tisserand. Ps: Larousse, '37. 232p.

937013   *La Tentation de Saint Antoine.* Ps: Les Editions du Vert-Logis, '37. 64p.

937014   *Trois contes.* Illustrations de A. Pecoud. Ps: Hachette, '37. 191p.

937015   *Trois contes.* Ps: Gründ, '37. 192p.

Critique

937016   Alden, Douglas W.: Proust and the F' controversy. Ds: *RR*, XXVIII (october '37) 230–240. Aussi ds: *'Madame Bovary' and the critics.* Edited by B. F. Bart. New York: New York University Press, '66, 65–72

    Allen, Kelcey: *Madame Bovary,* adaptation de Gaston Baty. Voir 936061

937017   Ambrière, Francis: Le 'service' rouennais de *Madame Bovary.* Ds: *Mercure* (15 novembre '37) 190–196. (Sur le service de presse de *Madame Bovary.*)

    Anderson, John: *Madame Bovary,* adaptation de Gaston Baty. Voir 936062

    Atkinson, Brooks: *Madame Bovary,* adaptation de Gaston Baty. Voir 936063

937018   Bachelin, Henri: *L'Education sentimentale.* Ds: *Mercure,* 944 (15 octobre '37) 259–282

937019   Bardoux, Jean: Un ami de F'. Ds: *Revue des deux mondes* (1er avril '37) 602–615. (Sur F' et Agénor Bardoux.)

    Bell, Nelson B.: *Madame Bovary,* adaptation de Gaston Baty. Voir 936064 et 936065

937020   Blaizot, Georges: F' et Lamartine. Ds: *La Revue de France* (15 septembre '37) 248–265

    Bolton, Whitney: *Madame Bovary,* adaptation de Gaston Baty. Voir 936066

    Brown, John Mason: *Madame Bovary,* adaptation de Gaston Baty. Voir 936067

    Carmody, J.: *Madame Bovary,* adaptation de Gaston Baty. Voir 936068

    Cassidy, Claudia: *Madame Bovary,* adaptation de Gaston Baty. Voir 936069

    Cohen, Harold: *Madame Bovary,* adaptation de Gaston Baty. Voir 936070

    Coleman, Robert: *Madame Bovary,* adaptation de Gaston Baty. Voir 936071

Collins, Charles: *Madame Bovary*, adaptation de Gaston Baty. Voir 936072 et 936073

937021 Cololian, P.: Les deux Madame Bovary. Ds: *Annales politiques et littéraires* (10 janvier '37) 32–34

Dumesnil, René et Demorest, Don Louis: Bibliographie de F'. Voir 933012

Francis, Robert: *Madame Bovary*, adaptation de Gaston Baty. Voir 936074

Gaghan, Gerard: *Madame Bovary*, adaptation de Gaston Baty. Voir 936075

Gilbert, Paul T.: *Madame Bovary*, adaptation de Gaston Baty. Voir 936076

Hillyer, Katherine: *Madame Bovary*, adaptation de Gaston Baty. Voir 936077 et 936078

937022 Jackson, Joseph F.: *Louise Colet et ses amis littéraires.* New Haven: Yale University Press; Ldn: Oxford University Press; Ps: Droz, '37. 388p.

937023 — Bédé, Jean-Albert: CR. Ds: *RR*, XXX ('39) 96–98

937024 — Maynial, Edouard: CR. Ds: *RHLF*, LXVI ('39) 141–142

937025 Jackson, Joseph F.: F's correspondence with Louise Colet. Chronology and notes. Ds: *RR*, XXVIII (December '37) 346–350

Jennings, Mabelle: *Madame Bovary*, adaptation de Gaston Baty. Voir 936079

Keen, J. H.: *Madame Bovary*, adaptation de Gaston Baty. Voir 936080

Kelley, Andrew R.: *Madame Bovary*, adaptation de Gaston Baty. Voir 936081

Krug, Karl and Schon, Norman: *Madame Bovary*, adaptation de Gaston Baty. Voir 936082

Lewis, Lloyd: *Madame Bovary*, adaptation de Gaston Baty. Voir 936083

Lockridge, Richard: *Madame Bovary*, adaptation de Gaston Baty. Voir 936084

Mantle, Burns: *Madame Bovary*, adaptation de Gaston Baty. Voir 936085

Martin, Linton: *Madame Bovary*, adaptation de Gaston Baty. Voir 936086, 936087 et 936088

937026   Martineau, R.: Une Bovary anglaise. Ds: *Le Goéland* (27 mars '37) 2. (Sur Miss Braddon: *The Doctor's Wife*.)

Murdock, Henry T.: *Madame Bovary*, adaptation de Gaston Baty. Voir 936089

Parry, Florence Fisher: *Madame Bovary*, adaptation de Gaston Baty. Voir 936090

937027   Philippe, Albert: Le procès de *Madame Bovary*. Ds: *Académie des Sciences, Belles-Lettres et Arts de Besançon* ('37) 1–15

Pollack, Robert: *Madame Bovary*, adaptation de Gaston Baty. Voir 936091

Price, Edgar: *Madame Bovary*, adaptation de Gaston Baty. Voir 936092

Schloss, Edwin H.: *Madame Bovary*, adaptation de Gaston Baty. Voir 936093

Stevens, Ashton: *Madame Bovary*, adaptation de Gaston Baty. Voir 936094

937028   Talvart, Hector et Place, Joseph: F'. Ds: H. Talvart et J. Place: *Bibliographie des auteurs modernes de langue française*. Ps: Chronique des Lettres françaises, t. VI, '37, 1–55

Watts, Richard: *Madame Bovary*, adaptation de Gaston Baty. Voir 936095

Whipple, Sidney B.: *Madame Bovary*, adaptation de Gaston Baty. Voir 936096

Editions

938001   *Bouvard et Pécuchet.* Ps: Gründ, '38. 320p.

938002   *Bouvard et Pécuchet.* Ps: Editions du Vert-Logis, '38. 126p.

938003   *Bouvard et Pécuchet.* Avec introduction et notes par Edouard Maynial. Ps: Garnier Frères, '38. xvii, 365p; '54. xviii, 408p.

938004   *Madame Bovary.* Edition de Paul Vernière. Ps: Editions de Cluny, '38.

938005   *Madame Bovary.* Champigny: F. Schmid, '38. 128p.

938006   *Madame Bovary.* Translated from the French by Eleanor Marx-Aveling, with an introduction by André Maurois and water colour illustrations by Gunter Böhmer. Zurich: Fretz Brothers, '38. 348p.

938007   *Salammbô.* Ps: Les Belles Editions, '38. 255p.

938008   *Salammbô.* Ps: Editions du Vert-Logis, '38. 128p.

938009   *Salammbô.* Ps: H. Béziat, '38. 2 vols.

938010   *Trois contes.* Ps: H. Béziat, '38. 247p.

938011   *Trois contes.* Ps: Editions du Vert-Logis, '38. 62p.

Critique

938012   Ambrière, Francis: La Fabrication de *L'Education senti-mentale.* Ds: *Mercure,* 952 (15 février '38) 184–190

938013   Ambrière, Francis: La Fabrication de *Salammbô.* Ds: *Mercure,* 966 (15 septembre '38) 717–722

938014   Auriant: Un portrait-charge inconnu de F'. Ds: *Mercure,* 966 (15 septembre '38) 762–765

938015   Chaves, Castello Branco: A influência de F' na estética de Eça de Quieróz. Ds: *RLC,* XVIII ('38) 195–207

938016   Croce, Benedetto: Il F' sulla 'questione sociale'. Ds: *Critica,* XXXVI ('38) 319–320

938017   Dangelzer, Joan-Yvonne: *La description du milieu dans le roman français de Balzac à Zola.* Ps: Les Presses modernes, '38.

          Dumesnil, René et Demorest, Don Louis: Bibliographie de F'. Voir 933012

938018   Giese, W. F.: The paradox of F'. Ds: *University of Toronto Quarterly* (April '38) 298–314

938019   Le Breton, André: *Collections de M. André Le Breton, amateur rouennais. Livres, autographes. F'.* Ps: Andrieux, '38. (Catalogue de vente.)

938020   Stein, Hanno A.: *Die Gegenstandswelt im Werke F's.* Bleicherode: Nieft, '38. 109p.

938021   Wilson, Edmund: F's politics. Ds: E. Wilson: *The Triple Thinkers.* London: Oxford University Press, '38, 100–121

Editions

939001   *Education sentimentale.* Présenté par André Lœwel. Ps: Editions de Cluny, '39. xvi, 480p.

939002   *La Légende de Saint Julien l'Hospitalier.* Bois de Pierre Falké. Ps: Gründ, '39. 53p.

939003   *Par les champs et par les grèves.* Notice par René Dumesnil. Ps: Société de Saint-Eloy, '39. iv, 231p.

939004   *Salammbô.* Cinq compositions de Lobel-Riche reproduites en taille-douce. Ps: Rombaldi, '39. 335p.

Critique

939005   Armstrong, T. Percy: Queries from *Madame Bovary.* Ds: *Notes and queries* (25 March '39) 468–477

939006   Auriant: F', 42 Boulevard du Temple et 4 rue Murillo. Documents inédits. Ds: *Mercure* (15 avril '39) 468–477

           Bédé, Jean-Albert: CR de J. Jackson: *Louise Colet et ses amis littéraires.* Voir 937023

939007   Beuchat, Charles: *De Restif à F', ou le Naturalisme en marche.* Ps: Le Bourdonnais, '39. 304p. (L'étude sur F' paraît aussi ds: C. Beuchat: *Histoire du Naturalisme français, I: Le Naturalisme triomphant.* Ps: Corrêa, '49, 259–282)

939008   Catalani, G.: Queries from *Madame Bovary.* Ds: *Notes and queries* (22 April '39) 280–281

939009   David, S.: Carol Kennicott de *Main Street* et sa lignée européenne. Ds: *RLC*, XIX ('39) 407–416

           Dumesnil, René et Demorest, Don Louis: Bibliographie de F'. Voir 933012

939010   Freienmuth von Helms, Ernst Eduard Paul: *German criticism of F', 1857-1930.* New York: Columbia University Press, '39. ix, 105p. (Columbia University Germanic Studies, 7)

939011   Frétet, Dr. Jean: F', l'épilepsie et le style. Ds: *Europe* (15 avril '39) 462–479

939012   Friedrich, Hugo: *Drei Klassiker des französischen Romans. Stendhal, Balzac, F'.* Leipzig: Bibliographisches Institut, '39. 155p; Frankfurt: Klostermann, '50. 118–155

939013   Gerace di Vasto, Luigi: *Gustavo F' nella vita e nell'arte.* Firenze: Mariano Ricci, '39. 248p.

939014   Gérard-Gailly: *Recherche du Pharmacien Homais.* Ps: Albert, '39. 36p.

939015   — Irissou, M. L.: CR. Ds: *Revue d'Histoire de la Pharmacie,* 36e année, 122 (décembre '48) 391–393. (Voir aussi: Fougère, Mme Paule: La Pharmacie Homais. 952012)

939016   Guillemin, Henri: *F' devant la vie et devant Dieu.* Préface de François Mauriac. Ps: Plon, '39. ix, 237p; Ps: Nizet, '63. 117p.

939017   — Henriot, Emile: CR. Article daté '1939' ds: E. Henriot: *Courrier Littéraire. XIXe Siècle. Réalistes et Naturalistes.* Ps: Albin Michel, '54, 62–68

939018   Jackson, Joseph F.: 'Madame Bovary, c'est moi'. Ds: *Saturday Review of Literature,* XIX (18 February '39) 11

939019   La Varende, Jean de: F'. Ds: J. de La Varende: *Grands normands. Etudes sentimentales.* Rouen: Defontaine, '39, 111–191

            Maynial, Edouard: CR de J. F. Jackson: *Louise Colet et ses amis littéraires.* Voir 937024

939020   Ratermanis, J.: *Encore sur le style de F'.* Riga: Latvijas Universitate, '39. 212p.

939021   Seznec, Jean: Les Lectures antiques de F' de 1840 à 1850. Ds: *Revue d'histoire et de philologie et d' histoire générale de la civilisation,* 27–28 ('39) 274–282

939022   Steegmuller, Francis: *F' and 'Madame Bovary'. A double portrait.* New York: Viking Press; Ldn: Robert Hale '39. 462p. Ldn: Collins '47. 336p. (Nouvelle édition). Extraits ds: *Saturday Review of Literature,* XIX (21 January '39) 13–14

939023   — Bédé, Jean-Albert: CR. Ds: *RR,* XIX (February '40) 86–90

939024   Thibaudet, Albert: Le F' de Louis Bertrand. Ds: A. Thibaudet: *Réflexions sur la critique.* Ps: Gallimard, '39, 36–47. (Article du 1er décembre 1912)

939025   Thibaudet, Albert: Une Querelle littéraire sur le style de F'. Ds: A. Thibaudet: *Réflexions sur la littérature.* Ps: Gallimard, '39, 72–81. (Article du 1er novembre 1919.)

939026   Thibaudet, Albert: Lettre à Marcel Proust sur le style de F'. Ds: A. Thibaudet: *Réflexions sur la littérature.* Ps: Gallimard, '39, 82–97. (Article du 1er mars 1920.)

939027   Wilson, Edmund: Some letters after 1848. F' to Maxime Du Camp. Ds: *New Republic,* XCVIII (8 February '39) 21–23. Voir aussi la réponse de F. Steegmuller ds: *New Republic* (8 mars '39) 130

939028   Yvon, Paul: *L'Influence de F' en Angleterre.* Caen: Caron, '39. 11p. (Sur F' et Walter Pater.)

Editions

940001   *Education sentimentale.* Ps: La Bibliothèque française, '40. (Introduction de G. Sand: Article publié sans titre ds: *La Liberté* (22 décembre 1869) et repris ds: G. Sand: *Questions d'Art et de Littérature.* Ps: Calmann Levy, 1878, 415–423

940002   *La Tentation de Saint Antoine.* Texte établi et présenté par René Dumesnil. Ps: Société des Belles Lettres, '40. xcic, 281p.

Correspondance

Maupassant, Guy de: *Lettres à F'.* Voir 929010

Critique

Bédé, Jean-Albert: CR de F. Steegmuller: *F' and 'Madame Bovary'. A double portrait.* Voir 939023

940003   Demorest, Don Louis: Les suppressions dans le texte de *Madame Bovary,* d'après les manuscrits. Ds: *Mélanges de philologie et d'histoire littéraire offerts à Edmond Huguet.* Ps: Boivin, '40, 373–386

940004   Dumesnil, René: F' et le *Mercure de France.* Ds: *Mercure,* 999–1000 (1er juillet '40–1er décembre '46) 159–164

940005   Fitch, Girdler B.: The comic sense of F' in the light of Bergson's *Le Rire.* Ds: *PMLA,* LV ('40) 511–530

940006   Le Herpeux, Mme: F' et son voyage en Bretagne. Ds: *Annales de Bretagne,* XLVII ('40) 1–152

940007   Pozzi, Antonia: *F'. La formazione letteraria.* Milano: Garzanti, '40. 224p.

940008   Quennell, P.: Analysis of sentiment in F's *Education sentimentale.* Ds: *New Statesman and Nation,* XX (7 December '40) 568

940009   Seznec, Jean: F' and India. Ds: *Journal of the Warburg and Courtauld Institutes,* 4 ('40–'41) 142–150

940010   Seznec, Jean: *Les Sources de l'Episode des Dieux dans La Tentation de Saint Antoine.* Ps: J. Vrin, '40. 192p.

940011   — Demorest, Don Louis: CR. Ds: *RR*, XXXIV
            (December '43) 390–393

940012   Singer, Armand: F's *Une Nuit de Don Juan.* Ds: *MLN*,
            LV (November '40) 516–520

Editions

941001   *Madame Bovary.* Illustrations de Pierre Noël. Ps: Gründ, '41. 404p.

Critique

941002   Allen, Walter: F' and the novelist today. Ds: *Penguin New Writing* (September '41) 116–125. (Sur *L'Education sentimentale.*)

941003   Bruneau, Jean: F's influence on Henry James. Ds: *American Literature*, XIII ('41) 240–256

941004   Buck, Stratton: *'Education sentimentale' as F's memoir of his life and times.* Chicago: University of Chicago. Thèse PhD, '41. Dactylographiée.

941005   Colling, Alfred: *F'. L'Homme et l'œuvre.* Ps: Fayard, '41. 380p.

941006   — Henriot, Emile: CR. Ds: *Le Temps.* (14–15 janvier '42) 3

941007   — Jean-Aubry, G.: CR. Ds: *Nouvelle Revue Française* (mai '42) 243

941008   Cressot, Marcel: La liaison des phrases dans *Salammbô.* Ds: *Le Français moderne*, IX (avril '41) 81–93

941009   Furst, Norbert: The structure of *L'Education sentimentale* and *Der Grüne Heinrich.* Ds: *PMLA*, LVI (March '41) 249–260,

941010   Gilman, Margaret: Two critics and an author. *Madame Bovary* judged by Sainte-Beuve and by Baudelaire. Ds: *FR*, XV ('41–'42) 138–146

941011   Henriot, Emile: F' et *La Tentation de Saint Antoine.* Ds: *Le Temps* (3 septembre '41) 3. Aussi ds: E. Henriot: *Courrier Littéraire. XIXe Siècle. Réalistes et Naturalistes.* Ps: Albin Michel, '54, 40–48

941012   Herbert, Eleanor L.: F' et la bêtise humaine. Ds: *Modern Languages* (October '41) 5–11

941013   Hoffmann, Charlotte: *Der Briefstil F's in den Jahren 1830 bis 1862.* Dresden: Dittert, '41. ix, 119p. (Thèse, Leipzig.)

941014 Klinger, Margret: *Beitrag zur Kenntnis des familiären, populären und vulgären Wortschatzes in den Briefen F's.* Frauenfeld: Huber, '41. 109p. (Thèse, Zürich.)

941015 Lion, Fernand: Secrets de *Madame Bovary.* Ds: *Cahiers du Sud*, 233 (mars '41) 146–162

941016 Poinssot, Louis: Deux lettres inédites de F'. Ds: *La Revue Tunisienne* ('41) 173–194

941017 Schaffer, Aaron: F's *Correspondance* and Gautier's *Roman de la Momie.* Ds: *Philological Quarterly*, XX ('41) 607–608

941018 Wartburg, Walther von: F' als Gestalter. Ds: *Deutsche Vierteljahrsschrift*, XIX ('41) 208–217

Editions

942001   *(Œuvres)*. *Extraits*. Par René Herval. Ps: La Bonne
         Presse, '42. 196p.

942002   *Education sentimentale*. Texte établi et présenté par René
         Dumesnil. Ps: Les Belles Lettres, '42. 2 vols.: cxxxvi,
         256p; 440p. Nouvelle impression '58. 2 vols.: cxxxvi,
         256p; 457p.

942003   *Madame Bovary*. 8 illustrations de Emilien Dufour. Ps:
         Gründ, '42. 2 vols.

942004   *Salambô*. A cura di Emilio Castellani. Torino: U.T.E.T.,
         '42.

942005   *Salammbô*. Ldn: Cape, '42. 637p.

942006   *La Tentation de Saint Antoine*. Avec introduction de
         Paul Valéry et des illustrations de J.-G. Daragnès. Ps:
         Daragnès, '42. xxvii, 223p. Pour l'introduction de Paul
         Valéry, voir 942020

942007   *Trois contes*. Ps: Editions de Montsouris, '42. 96p.

Correspondance

942008   *Lettres à Maupassant*. Editées par Georges Normandy.
         Ps: Editions du Livre moderne, '42. 224p.

Critique

942009   Arcari, P.: *L'inspirazione de F' in una galleria italiana*.
         Roma: Nuove graf., '42. 11p.

942010   Bogan, L.: *Sentimental Education* today. Ds: *Nation*,
         CLV ('42) 301–302

942011   Clavería, Carlos: F' y *La Regenta* de Clarín. Ds: *Hispanic
         Review*, X ('42) 116–125

942012   Dumesnil, René: Les notes de F' pour *L'Education
         sentimentale*. Documents inédits. Ds: *Revue des deux
         mondes* (1er juillet '42) 19–32

942013   Dumesnil, René: Actualité de *L'Education sentimentale*.
         Ds: *Lettres d'Humanité*, I ('42) 182–193

Henriot, Emile: Les excuses d'Emma Bovary. CR de L. Larguier: *La chère Emma Bovary* (voir 942016) et d'A. Colling: *F'* (voir 941006)

942014 Hervier, Marcel: F'. Ds: M. Hervier: *Les écrivains jugés par leur contemporains. t. IV : Le Dix-neuvième siècle.* Ps: Mellotée, '42, 145–176

Jean-Aubry, G.: CR d'A. Colling: *F'.* Voir 941007

942015 Larguier, Léo: *La chère Emma Bovary.* Avignon: Aubanel, '42. 159p.

942016 — Henriot, Emile: Les excuses d'Emma Bovary. Ds: *Le Temps* (14 et 15 juillet '42) 3. Aussi ds: E. Henriot: *Courrier Littéraire. XIXe Siècle. Réalistes et Naturalistes.* Ps: Albin Michel, '54, 7–14

942017 Lugli, Vittorio: Lo stile indiretto libero in F' e in Verga. Ds: *Memorie della R. Accademia delle Scienze dell'Istituto di Bologna.* Classe scienze morali. Serie IV, vol. V ('42–'43). Aussi ds: V. Lugli: *Dante e Balzac.* Napoli: ESI, '52, 221–239

Maurois, André: *Madame Bovary.* Voir 936112

942018 Schmidt-Degener, Frederick: Die Eeuw van F'. Ds: F. Schmidt-Degener: *Phoenix. Vier Essays.* Amsterdam: J. M. Meulenhoff, '42, 70–96

942019 Seznec, Jean: Science et religion chez F' d'après les sources de *La Tentation de Saint Antoine.* Ds: *RR*, XXXIII (December '42) 363–365

942020 Valéry, Paul: *La Tentation de (Saint) F'.* Ps: Daragnès, '42. 27p. Aussi ds: P. Valéry: *Variété V.* Ps: Gallimard, '44. Aussi Ds: P. Valéry: *Œuvres.* Edition établie et annotée par Jean Hytier. Ps: Gallimard, '57, 613–619

942021 Vialle, Louis: Le Bovarysme. Ds: *Revue philosophique de la France et de l'étranger*, 4–6 (avril–juin '42–'43) 111–128

Editions

943001   *Un cœur simple.* Illustrations de Jacques Lechantre. Ps: Gründ, '43. 81p.

943002   *Par les champs et par les grèves.* Bois originaux de P. Baudier. Le Vésinet: V. Dancette, '43. 186p.

943003   *Salambo.* Traducción de Paulo Massip. Ilustraciones de José Remau. México: Atlantida, '43. 304p.

943004   *La Tentation de Saint Antoine.* Eaux-fortes originales de F. Hertenberger. Ps: La Tradition, '43. 265p.

943005   *Trois contes.* Bruxelles: Editions de la Nouvelle Revue Belgique, '43. 189p.

943006   *Trois contes.* Illustrations en couleurs de J. Traynier. Ps: Editions de la Nouvelle France, '43. 205p.

943007   *Trois contes.* Illustrations originales de Raoul Serres. Ps: Albert '43. 167p.

Critique

943008   Auriant: *Koutchouk-Hânem, l'almée de F', suivi de onze essais sur la vie de F' et sur son œuvre, sur Maxime Du Camp et Louise Colet, les sources de 'Madame Bovary', des notes sur 'Salammbô' et 'L'Education sentimentale', les logis de F'.* Ps: Mercure de France, '43. 158p. (Remaniement d'articles déjà parus.)

943009   Brown, Donald F.: The veil of Tanit. The personal significance of a woman's adornment to F'. Ds: *RR*, XXXIV (October '43) 196–210

943010   Courtney, G. J. P.: F' and the *Trois contes.* Ds: *Modern Languages* (June '43) 56–61

Demorest, Don Louis: CR de J. Seznec: *Les sources de l'épisode des Dieux dans 'La Tentation de Saint Antoine'.* Voir 940011

943011   Duhamel, Georges: Mon premier maître. F'. Ds: *Revue des deux mondes*, LXXXVII (octobre '43) 337–352. Aussi ds: G. Duhamel: *Refuges de la Lecture.* Ps: Mercure de France, '54, 183–206

943012   — XY: CR. Ds: *Les Amis de F'*, 7 ('55) 60–61

943013   Dumesnil, René: F' à l'Opéra. Ds: *Formes et couleurs*, 3 ('43)

943014   Dumesnil, René: *F' et 'L'Education sentimentale'*. Ps: Les Belles Lettres, '43. 71p. (Album documentaire.)

943015   Dumesnil, René: Les sources de *Salammbô*. Ds: *Revue des deux mondes* (15 avril '43) 414–430

943016   Guillemin, Henri: *F' vivant*. Neuchâtel: Richème, '43. 15p.

943017   Jaloux, Edmond: Lecture de *L'Education sentimentale*. Ds: *Le mois suisse*, 55 ('43) 116–135. Aussi ds: E. Jaloux: *Visages français*. Ps: Albin Michel, '54, 131–164

943018   Jenatton, J.: F's letters during the war of 1870-1871. Ds: *New Statesman and Nation*, XXV (2 janvier '43) 11

943019   Laffitte, G.: *Madame Bovary* et *La Regenta* (L. Alas). Ds: *Annales de la Faculté des Lettres de Bordeaux, Bulletin hispanique*, XLV ('43) 157–163

943020   La Varende, Jean de: Les yeux d'Emma. Ds: *Je suis partout* (2 janvier '43) 6

943021   La Varende, Jean de: Barbey d'Aurevilly et F'. Conférence à Avranche. Ds: *Revue avranchaine* (4e trimestre '43) 721–726

943022   Maynial, Edouard: *(A la gloire de) F'*. Ps: Editions de la Nouvelle Revue Critique, '43. 224p. (Collection: A la gloire de...)

943023   Neukomm, Gerda: Zum Stils F's. Ds: *Trivium*, I, 2 ('43) 44–58

943024   Schöne, Maurice: Langue écrite et langue parlée: à propos de la *Correspondance* de F'. Ds: *Le Français moderne* (avril '43) 87–108; (juillet '43) 175–191; (octobre '43) 263–276; (janvier '44) 25–42. Ps: Artrey, '45. 72p.

943025   Seznec, Jean: Le Christ du paganisme. Apollonius de Tyane et F'. Ds: *Yale Romance Studies*, 22 ('43) 231–247

943026   Seznec, Jean: Saint Antoine et les monstres. Essai sur les sources et la signification du fantastique de F'. Ds: *PMLA*, LVIII (March '43) 195–222

943027   Thomas, J.: Une œuvre inédite de F'. Ds: *Confluences*,
          III (16 janvier '43) 3–10. (Sur *Vie et travaux du R. P.
          Cruchard par l'Abbé Pruneau*, dédié à Mme La Baronne
          Dudevant, née Aurore Dupin.)

          Vialle, Louis: Le Bovarysme. Voir 942021

Editions

944001   *Passion et Vertu*. Ps: Editions du soleil, '44. 32p.

944002   *Salammbô*. Texte établi et présenté par René Dumesnil. Ps: Société Les Belles Lettres, '44. 2 vols.: clxiii, 176p; 343p.

Critique

944003   Dumesnil, René: Sur la *Correspondance* de F'. Ds: *Le mois suisse*, 66 ('44) 154–161

944004   Gérard-Gailly: *Le Grand Amour de F'*. Ps: Aubier, '44. 301p. (Sur Élisa Schlésinger.)

944005   Gill, F.: F'. Ds: *London Quarterly Review* (April '44) 126–133

944006   Lair, Marcelin Hubert Gustave: *F' ou le dilettantisme médical*. Rouen: Imprimerie René Pouette, '44. (Thèse de Médecine, Rouen.)

Schöne, Maurice: Langue écrite et langue parlée. Voir 934024

944007   Tate, A.: F'. Ds: *Magazine of the Légion d'Honneur*, XV ('44) 265–278

944008   Tate, A.: Techniques of fiction. Ds: *Sewanee Review*, LII ('44) 210–225. (Conférence sur le roman: 'Through F', the novel has caught up with poetry'.)

Valéry, Paul: La Tentation de (Saint) F'. Voir 942020

Editions

945001   *Bouvard et Pécuchet.* Texte établi et présenté par René
           Dumesnil. Ps: Les Belles Lettres, '45. 2 vols.: cxci,
           133p.; 379p.

945002   *Un cœur simple.* Gouaches originales de Jorge Morin.
           Nantes: Cholet, '45. 103p.

945003   *(Un cœur simple. Hérodias.) Dos cuentos.* Introducción
           y selección de José Perez Moreno. México: Secretaría de
           Educación Pública, '45. 81p.

945004   *Education sentimentale.* Introduction par Henri Guille-
           min. Genève: Editions du Milieu du Monde, '45. 623p.

945005   *La Légende de Saint Julien l'Hospitalier.* Dessin de H.
           Lemarié. Enluminure de E. Vairel. Ps: A. Tallone, '45.
           140p.

945006   *La Légende de Saint Julien l'Hospitalier.* Lithographies
           d'après Suzanne Jung. Ps: Editions du Marais, '45. 59p.

945007   *La Légende de Saint Julien l'Hospitalier.* Avec des
           illustrations de Henri Deluermoz, gravées sur bois par
           P. Baudier. Ps: V. Dancette, '45. 105p.

945008   *Madame Bovary.* Illustrations en couleurs de Grau-Sala.
           Ps: La Bonne Compagnie, '45. 405p.

945009   *Madame Bovary.* Texte établi et présenté par René
           Dumesnil. Ps: Les Belles Lettres, '45. 2 vols.: cxcvii,
           188p; 386p.

945010   *Madame Bovary.* Illustrations de Pierre Dehay. Ps: M.
           Gasnier, '45. 368p.

945011   *Madame Bovary.* Illustrations de Adé. Ps: Publications
           techniques et artistiques, '45. 317p.

945012   *Madame Bovary.* Ps: Editions du Panthéon, '45. 365p.

945013   *Madame Bovary.* Bois originaux de René Lambert-
           Gerboz. Ps: Editions du Dauphin, '45. 285p.

945014   *Novembre.* A cura di Beniamino del Fabbro. Milano:
           Minuziano, '45. 128p.

945015   *(Trois contes.) Tre racconti.* A cura di Camillo Sbarbo.
           Milano: Bompiani, '45. ix, 95p.

945016   *Voyage en Touraine et en Bretagne.* Préface par René Dumesnil. Ps: Plon, '45. 68p.

Correspondance

945017   Onze lettres. Présentées par Auriant. Ds: *Poésie*, 26–27 (août–septembre '45) 84–96

Critique

945018   Clavería, Carlos: F' y *La Regenta* (L. Alas). Ds: C. Clavería: *Cinco estudios.* Salamanca: Collegio Trilingüe, '45, 1–28

945019   Dumesnil, René: *F' et Madame Bovary.* Ps: Société Les Belles Lettres, '45. 64p.

945020   Dumesnil, René: Les Dîners littéraires. Ds: R. Dumesnil: *L'Epoque réaliste et naturaliste.* Ps: Taillandier, '45, 80–98. (F' aux Dîners Magny. Voir aussi des références à Louise Colet et les salons littéraires: 120–126.)

945021   Frank, Joseph: Spatial form in modern literature, especially the novel. Ds: *SR*, LIII ('45) 221–240. (Etude sur *Madame Bovary*: les 'comices agricoles'.)

945022   Grounauer, Madeleine: Notes en vue d'une étude sur la structure de *Madame Bovary.* Ds: *Trivium*, III ('45) 280–299

945023   Lombard, Alfred: De Saint-Anathase à F'. Ds: *Alma mater* (mars '45) 141–152

945024   Ortiz, Maria: F' et *Volupté* (Sainte-Beuve). Ds: *Aretusa* (novembre '45) 51–56. (Sur les rapports entre *Madame Bovary, L'Education sentimentale* et *Volupté.*)

    Schöne, Maurice: Langue écrite et langue parlée. Voir 943024

945025   Seznec, Jean: F' and the graphic arts. Ds: *Journal of the Warburg and Courtauld Institutes*, VIII ('45) 175–190

945026   Seznec, Jean: F', historien des hérésies dans *La Tentation de Saint Antoine.* Ds: *RR*, XXXVI (October '45) 200–221; (December '45) 314–328

945027   Trompeo, Pietro Paolo: La bocciatura di F'. Ds: *La Nuova Europa* (18 febbraio '45) 5

945028   Turnell, Martin: F'. Ds: *Scrutiny*, XIII, 3 (Autumn–Winter '45) 200–218; 4 (Spring '46) 272–291. Article remanié ds: M. Turnell: *The Novel in France.* Ldn: Hamish Hamilton, '50, 247–316

Editions

946001   *Bouvard et Pécuchet*. Ps: Editions du Panthéon, '46. 424p.

946002   *Bouvard y Pécuchet*. Novela postuma. Prólogo de Jacinto Grau. Buenos Aires: Editorial Corinto, '46. 328p.

946003   *Education sentimentale*. Ps: R. Simon, '46. 2 vols.

946004   *'Un cœur simple' précédé de 'Mémoires d'un Fou' et de 'Novembre'*. Introduction et notes par René Dumesnil. Monaco: Editions du Rocher, '46. xxxiv, 177p.

946005   *Un cœur simple*. Illustrations de André Thébault. Ps: A. Fleury, '46. 119p.

946006   *Madame Bovary*. Illustrations de Georges Trouillot. Présentation d'Alexis Pitou. Ps: Vautrain, '46. xxvii, 321p.

946007   *Madame Bovary*. Introduction et notes de Alfred Colling. Monaco: Editions du Rocher, '46. xiii, 317p.

946008   *Madame Bovary*. Edition définitive, suivie des requisitoire, plaidoirie et jugement du Procès intenté à l'auteur devant le tribunal correctionnel de Paris, audiences des 31 janvier et 7 février 1857. Montréal: Les Editions B. D. Simpson, '46. 561p.

946009   *Madame Bovary*. Préface par René-Louis Doyon. Ps: Rasmussen, '46. 2 vols.

946010   *Madame Bovary*. Ps: Les Ecrits de France, '46. 256p.

946011   *Madame Bovary*. Ps: J. Gibert, '46. 319p.

946012   *Madame Bovary*. Genève: P. Cailler, '46. 2 vols.

946013   *Madame Bovary. Un cœur simple. La Légende de Saint Julien l'Hospitalier*. Ps: M. Daubin, '46. 160p.

946014   *Salammbô*. Introduction d'Alexis Pitou. Illustrations de Lucie Thomas. Ps: Vautrain, '46. 274p.

946015   *Salammbô*. Ps: Editions Librairie Mercure, '46. 352p.

946016   *Salammbô*. Illustrations de P. Nicholas. Monaco: Editions du Vieux Monaco, '46. 303p.

946017   *Salammbô*. Illustrations de Mixi-Bérel. Ps; Etampes: M. Gasnier, '46. 359p.

946018   *Salammbô*. 9 hors-texte en couleurs de J. Robille. Ps: Editions du Panthéon, '46. 389p.

946019   *Trois contes*. Illustrations de Jean Robichon. Introduction de Roger Joxe. Ps: Nord-Editions, '46. 132p.

946020   *Trois contes*. Texte présenté par René-Louis Doyon. Ps: R. Rasmussen, '46. 230p.

946021   *Trois contes*. Ps: Editions Librairie Mercure, '46. 191p.

Correspondance

946022   *Lettres inédites à Tourgueneff*. Présentation et notes de Gérard-Gailly. Monaco: Edition du Rocher, '46. 227p.

Critique

946023   Auerbach, Erich: *Madame Bovary.*. Ds: E. Auerbach. *Mimesis. Dargestellte Wirklichkeit in der abendländischen Literatur*. Berne: Francke, '46. 503p. 2e édition revue '59. 524p. Traduction anglaise: *Mimesis. The Representation of Reality in Western Literature*. Princeton: Princeton University Press, '53. 563p.

          Billy, André: Philosophie de F'. CR de C. Digeon: *Le Dernier Visage de F'*. Voir 946027

946024   Canu, Jean: *F' auteur dramatique*. Ps: Ecrits de France, '46. 152p.

946025   Carter, A. E.: On rereading F'. Ds: *University of Toronto Quarterly* (January '46) 182–192

946026   Digeon, Claude: *Le Dernier Visage de F'*. Ps: Aubier, '46. 183p.

946027   — Billy, André: Philosophie de F'. Ds: *Le Littéraire* (27 avril '46) 2

946028   — Maynial, Edouard: CR. Ds: *RHLF*, XLVIII ('48) 100–101

946029   Dumesnil, René: *'Madame Bovary' de F'*. Ps: SFELT, '46. 187p. (Collection: Les grands événements littéraires.)

946030 Dumesnil, René: F' et les allemands. Ds: *NL*, 998 (19 septembre '46) 5

Dumesnil, René: F' et le *Mercure de France.* Voir 940004

946031 Dumesnil, René: The inevitability of F'. Ds: *Horizon* (October '46) 215–223

946032 Elisarova, M. E.: F' et Tchekhov. Ds: *Annales de l'Institut Pédagogique de Moscou*, XXXII, 6 ('46) 55–71

946033 Guillemin, Henri: F' et les bien-pensants. Ds: *Les Etoiles* (18 juin '46) 1. (Sur *Bouvard et Pécuchet*.)

946034 Marti, Walter: Gradation de F'. Ds: *Trivium*, IV ('46) 251–261

946035 Pacey, Desmond: F' and his Victorian Critics. Ds: *University of Toronto Quarterly*, XVI (October '46) 74–84

946036 Picco, Francesco: Il dipinto di Breughel e *La Tentation de Saint Antoine* del F'. Ds: *Rivista di letterature moderne* ('46) 418–421

946037 Place, Joseph: L'insensibilité de F'. Ds: *Bulletin du Bibliophile* (juin '46) 292–293

946038 Pommier, Jean: La création littéraire chez F'. Ds: *Annuaire du Collège de France* ('46–'47) 169–174. Aussi ds: J. Pommier: *Créations en littérature*. Ps: Hachette, '55, 10–17

946039 Prucher, Auda: Jean Seznec. Studi su F'. Ds: *Rivista di letterature moderne*, I ('46) 422–438

946040 Schacherl, Bruno: *Bouvard et Pécuchet*. Ds: *Letteratura* (marzo–aprile '46) 100–106

946041 Seznec, Jean: Notes on F' and the United States. Ds: *American Society Legion of Honor Magazine*, XVII ('46) 391–398

946042 t'Serstevens, A.: Devant la vie. F' et Pécuchet. Ds: *NL* (30 mai '46) 5. (Sur *Bouvard et Pécuchet*.)

946043 Ulerm, M.: F' avait raison. Baal était le vampire des enfants carthaginois. Ds: *Plume* (5 mai '46) 28–30

Editions

947001   *Bouvard et Pécuchet.* Préface de Raymond Queneau. Ps: Editions du Point du Jour, '47. xxv, 474p. (L'introduction de Queneau est aussi ds: R. Queneau: *Bâtons chiffres et lettres.* Ps: Gallimard, '50. 53–76.)

947002   — Hoog, Armand: F' et la terreur. Ds: *La Nef*, 39 (février '48) 125–128

947003   *Bouvard et Pécuchet.* Edité par René Laborderie. Préface de Jean de La Varende. Ps: Bordas, '47. xvii, 307p.

947004   *Education sentimentale.* Illustrations gravées sur bois de Jean Traynier. Ps: A. Bonne, '47. 2 vols.

947005   *Sentimental Education.* Translated by Anthony Goldsmith. Ldn: J. M. Dent, '47. xiv, 402p. (Everyman's Library, 969.)

947006   *Die Legende von St. Julianus dem Hospitalier.* Im französischen Urtext und deutscher Übertragung von J. G. Schreiber. Neustad: Musen-Verlag, '47. 83p.

947007   *Madame Bovary.* 9 hors-texte en couleurs de Jacques Roubille. Ps: Editions du Panthéon, '47. 461p.

947008   *Madame Bovary.* Ps: Editions Malesherbes, '47. 381p.

947009   *Madame Bovary.* Illustrations de Fred Money, gravées sur bois par Georges Beltrand et Georges Régnier. Ps: Ferroud, '47. 367p.

947010   *Salammbô.* Eaux-fortes originales de F. Hertenberger. Ps: La Tradition, '47. 235p.

947011   *Salammbô.* Ps: SEPE, '47. 303p.

947012   *Salammbô.* Deutsche Bearbeitung von Theo Uberdick. Freiburg: Verlag die Brücke, '47. 297p.

947013   *Trois contes.* Ps: J. Gibert, '47. 192p.

947014   *Trois contes.* Ps: Editions de La Bruyère, '47. 160p.

947015   Un inédit de F'. *L'Influence des Arabes sur la civilisation française du moyen-âge.* Présenté par E. Vinaver. Ds: *FS*, I ('47) 37–43

Correspondance

947016 *Lettres choisies de F'*. Recueillies et préfacées par René Dumesnil. Ps: Jacques et René Wittman, '47. 154p.

947017 — Tancock, L. W.: CR. Ds: *FS*, III ('49) 366–367

947018 Deux lettres inédites. Présentées par Auriant. Ds: *Mercure*, 300 ('47) 780–781

Autour de Flaubert

947019 Il y a cent ans. Maxime Du Camp. Trois mois en Bretagne avec F'. Introduction et notes par A. Le Gouaziou. Ds: *Nouvelle Revue Bretonne*, 3–6 (mai–juin '47) 200–202; 287–299; 354–363; 457–465

Critique

947020 Bart, Benjamin F.: The Moral of F's *Saint Julien*. Ds: *RR*, XXXVIII ('47) 23–33

947021 Bertrand, Georges-Emile: *Les jours de F'. Documents recueillis, annotés et appuyés de notices biographiques.* Préface de René Dumesnil. Ps: Editions du Myrte, '47. 253p. Extraits ds: *Les Amis de F'*, 3 ('52) 9

947022 Bonwit, Marianne: The significance of the dog in F's *Education sentimentale* (1845). Ds: *PMLA*, LXII (June '47) 517–524

947023 Bonwit, Marianne: A prefiguration of the 'Défilé de la Hache' episode in F's *Salammbô*. His juvenile tale *Rage et Impuissance*. Ds: *RR*, XXXVIII ('47) 340–347

947024 Borel, Pierre: F' et la 'Dame aux violettes'. Ds: *Une semaine dans le monde* (4 octobre '47) 9. (Sur F' et Jeanne De Tourbey.)

947025 Bruneau, Charles: *Explication de F': 'Madame Bovary'*. Ps: Centre de Documentation universitaire, '47. 2 vols.

947026 Carré, J.-M.: Le Voyage de F' en Orient. Ds: *Annales du Centre Universitaire Méditerranéen, Nice*, II ('47–'48) 276–277

947027 Dumesnil, René: *Le grand amour de F'*. Genève: Editions du Milieu du Monde, '47. 237p. (Sur Elisa Schlésinger; sur Eulalie Foucaud.)

947028   Finot, André: Essais de clinique romantique. Les amis de F'. Maxime Du Camp. Avec des documents inédits. Ds: *Les Alcaloïdes* (juin'47) 9–14; (septembre '47) 6–16; (janvier '48) 6–16; (mars '48) 5–15; (juin '48) 6–16; (septembre '48) 4–14; (novembre '48) 4–13. Ps: H. Gaignault, '49. 81p.

947029   Garcin, Philippe: *Madame Bovary* ou l'imaginaire en défaut. Ds: *Cahiers du Sud*, XXVI ('47) 980–994

947030   Gérard-Gailly: Datation des lettres de F'. Ds: *Bulletin du Bibliophile* ('47) 319–335; 394–410; 463–479

947031   Heuzey, Jacques: Notes sur F' et l'art grec. Ds: *Bulletin de l'Association Guillaume Budé*, 6 (décembre '47) 98–108

947032   Hourticq, Louis: *L'art et la littérature.* Ps: Flammarion, '47. (Sur *Salammbô*: 190–198; Sur F' et le réalisme de la peinture contemporaine: 226–234.)

947033   Lalo, Charles: L'art-exploration de F'. Ds: C. Lalo: *L'art et la vie. Les grandes évasions esthétiques. Delacroix, F', Les Goncourt, Lamartine, Sarcey, Wagner.* Ps: J. Vrin, '47, 142–188

947034   Leleu, Gabrielle: Du nouveau sur *Madame Bovary.* Le Document Pradier. Ds: *RHLF*, XLVII (juillet–septembre '47) 227–244

947035   — Henriot, Emile: Du nouveau sur *Madame Bovary.* Ds: *Le Monde* (4 mai '49) 3. Aussi ds: E. Henriot: *Courrier littéraire. XIXe Siècle. Réalistes et Naturalistes.* Ps: Albin Michel, '54. 15–20

947036   Lugli, Vittorio: *Bouvard et Pécuchet.* Ds: *Dizionario letterario Bompiani delle opere e dei personaggi di tutti i tempi e di tutte le letterature.* Milano: V. Bompiani, vol I, '47, 460

947037   Lugli, Vittorio: *Corrispondenza* di F'. Ds: *Dizionario letterario Bompiani delle opere e dei personaggi di tutti i tempi e di tutte le letterature.* Milano: V. Bompiani, vol II, '47, 456

947038   Lugli, Vittorio: *L'Education sentimentale.* Ds: *Dizionario letterario Bompiani delle opere e dei personaggi di tutti i tempi e di tutte le letterature.* Milano: V. Bompiani, vol III, '47, 32

947039 Maugham, Somerset: F' and *Madame Bovary*. Ds:
        Atlantic Monthly (November '47) 134–140. Aussi ds:
        W. S. Maugham: *Great novelists and their novels.*
        Philadelphia; Toronto: John C. Winston Co., '48, 136–
        156

        Mauriac, François: F'. Voir 930050

947040 Neumeyer, E. M.: Landscape garden as a symbol in
        Rousseau, Goethe and F'. Ds: *Journal of the History of
        Ideas*, VIII (April '47) 187–217

947041 Parrot, Louis: Un livre de jeunesse de F'. Ds: *Les Lettres
        Françaises*, 176 (2 octobre '47) 5. (Sur *Novembre.*)

947042 Pommier, Jean: *Madame Bovary*. Etude de texte. Ds:
        Annuaire du Collège de France, 47e année ('47) 169–175.
        Aussi ds: J. Pommier: *Créations en littérature.* Ps:
        Hachette, '55, 18–23

947043 Pommier, Jean: F' et la naissance de l'acteur. Ds:
        Journal de Psychologie normale et pathologique, XL (avril–
        juin '47) 185–194. Aussi ds: J. Pommier: *Dialogues avec
        le passé.* Ps: Nizet, '67, 319–328

947044 Pommier, Jean: Les maladies de F'. Ds: *Le Progrès
        médical.* (10 et 24 octobre '47) 408, 410–412, 415–416

947045 Pommier, Jean: Du nouveau sur *Madame Bovary.* Ds:
        RHLF, XLVII (juillet–septembre '47) 211–226

947046 — Henriot, Emile: Du nouveau sur *Madame Bovary.* Ds:
        Le Monde (4 mai '49) 3. Aussi ds: E. Henriot: *Courrier
        Littéraire. XIXe Siècle. Réalistes et Naturalistes.* Ps:
        Albin Michel, '54, 15–20

947047 Pommier, Jean: L'affaire Loursel, drame de l'amour et
        des poisons, ou une source mal connue de *Madame Bovary.*
        Ds: *Les Lettres Françaises* (11 avril '47) 3

947048 Schreiber, E. L.: Le drame philosophique de F'. Ds:
        Annales de l'Université de Pétrozavodsk, I ('47) 88–121

        Steegmuller, Francis: *F' and 'Madame Bovary'. A double
        portrait.* Voir 939022

947049 t'Serstevens, A.: F' a-t-il trahi Bernardin de Saint-Pierre?
        Ds: *NL* (8 mai '47) 1

Editions

948001   *Education sentimentale.* Préface de René Dumesnil. Ps: Le Club français du Livre, '48. xii, 547p.

948002   *Education sentimentale.* Illustrée par J. Amblard. Introduction de George Sand. Ps: La Bibliothèque française, '48. 413p.

948003   *Hérodias.* Erzählung. Übertragung aus dem Französischen von Franz Bauer. Illustrationen von Gerhard Pallasch. Worms: R. Meier, '48. 78p.

948004   *Madame Bovary.* Préface de J. de La Varende. Edition annotée par Claude Digeon. Ps: Bordas, '48. xviii, 417p.

948005   *Madame Bovary.* Introduction by Charles I. Weir jr.. New York: Rinehart, '48. xii, 364p.

948006   *Salammbô.* Mit einer Studie von Victor Klemperer: *F' und die französische Romantik.* Reutlingen: Continental-Verlag, '48. 367p.

948007   *La Tentation de Saint Antoine.* Avant-propos et notes de Jean-Claude Margolin. Ps: Delmas, '48. 205p.

948008   *Trois contes.* Introduction et notes de Maurice Agulhon. Ps: Delmas, '48. 151p.

948009   *Trois contes.* Illustrations de André-E. Marty, gravées sur bois en couleurs par Gérard Angiolini. New York: Editions de la Maison Française, '48. 249p.

948010   *Drei Erzählungen.* Übertragung von Hans Ruppert. Trier: Cusanus-Verlag, '48. 173p.

948011   *Voyages.* Texte établi et présenté par René Dumesnil. Ps: Les Belles Lettres, '48. 2 vols: lix, 437p; 603p.

Correspondance

948012   *Lettres à Mme X... (1846-1847).* Portrait dessiné et gravé sur cuivre par Mme E. Reitsma-Valença. Utrecht: Société De Roos, '48. 60p.

948013   *Lettres inédites à Maxime Du Camp, Mme Adèle Husson et 'l'excellent M. Baudry'.* Publiées par Auriant. Sceaux: Palimugre, '48. 152p.

948014   *Lettres de Grèce*. Notes et commentaires de Jacques Heuzey. Ps: Editions du Péplos, '48. 149p.

Critique

948015   Bo, Carlo: *Madame Bovary*. Firenze: Fussi, '48. 93p.

948016   Calvet, Jean: Note sur l'extrême-onction d'Emma Bovary. Ds: *Lettres Romanes*, II (1er février '48) 5–11

948017   Cheronnet, Louis: *L'Education sentimentale* et la révolution de 1848. Ds: *Les Lettres Françaises* (19 février '48) 3

948018   Cox, Constance: *'Madame Bovary'. A play adapted from the novel of F'*. Ldn: The Fortune Press, '48. 71p. (Première mise en scène: Theatre Royal, Bath, le 27 août '45.)

948019   Dimoff, Paul: Autour d'un projet de roman de F'. *La Spirale*. Ds: *RHLF*, XLVIII ('48) 309–335

948020   Dumesnil, René: La Révolution de 1848 et *L'Education sentimentale* de F'. Ds: *L'Education Nationale* (26 février '48) 13–14

948021   Dumesnil, René: '48 et *L'Education sentimentale*. Ds: *NL* (26 février '48) 5

948022   Dumesnil, René: Une source inconnue de *Madame Bovary*. Ds: *L'Education Nationale* (6 mai '48) 13

948023   Dumesnil, René: La véritable Madame Bovary. Ds: *Mercure*, CCCIV (1er novembre '48) 431–438

948024   Dumesnil, René: *F'. Documents iconographiques*. Vésenaz-Genève: Cailler, '48. 265p.

Finot, André: Essais de clinique romantique. Les amis de F'. Maxime Du Camp. Voir 947028

946025   Gallotti, Jean: A Rouen chez Corneille et chez F'. Ds: *NL* (5 août '48) 1, 6

948026   Gordon, Caroline: Notes on Faulkner and F'. Ds: *Hudson Review*, I, 2 (Summer '48) 222–231

Hoog, Armand: F' et la terreur. CR de *Bouvard et Pécuchet*. Voir 947002

Irissou, M. L.: CR de Gérard-Gailly: Recherche du Pharmacien Homais. Voir 939015

948027   Jean Maurienne: Qui est la vraie Madame Bovary? Ds: *Les Lettres Françaises* (10 juin '48) 3; (29 juillet '48) 3

948028   Kott, Jean: Marx et F'. Ds: *Europe* (juin '48) 24–30. (Traduit du polonais par A. Posner.)

948029   Le Diberder, Yves: A Carnac. En marge de F' et de Taine. Ds: *Fontaine*, 5 ('48) 10–11

948030   Lefèvre, Frédéric: La poésie du livre. Ds: *NL* (29 janvier '48) 6. (Sur *Salammbô* et *Bouvard et Pécuchet*.)

948031   Levin, Harry: F' and the spirit of '48. Ds: *Yale Review*, XXXVIII ('48) 96–108

948032   Levin, Harry: F'. Portrait of the artist as a saint. Ds: *KR*, X ('48) 28–43

948033   Llorach, F. Alarchos: La interpretación de *Bouvard et Pécuchet* de F' y su quijotismo. Ds: *Cuadernos de literatura*, IV, 10, 11, 12 (Julio–Decembre '48) 139–176

948034   Lugli, Vittorio: *Salammbô*. Ds: *Dizionario Bompiani delle opera e dei personaggi di tutti i tempi e di tutte le letterature*. Milano: V. Bompiani, vol VI, '48, 479–480

948035   Lugli, Vittorio: *La Signora Bovary*. Ds: *Dizionario Bompiani delle opere e dei personaggi di tutti i tempi e di tutte le letterature*. Milano: V. Bompiani, vol VI '48, 725

948036   Marquet, Jean: Vue d'ensemble. F'. Ds: *Critique*, IV (juillet '48) 653–655

Maugham, W. Somerset: F' and *Madame Bovary*. Voir 947039

Maynial, Edouard: CR de C. Digeon: *Le dernier visage de F'*. Voir 946028

948037   Miomandre, Francis de: Les curiosités inutiles. Ds: *NL*, 1079 (6 mai '48) 4

948038   Miomandre, Francis de: F' et la sensibilité. Ds: *NL*, 1108 (25 décembre '48) 4

948039   Ortiz, Maria: F' visita da Proust. Ds: *Rassegna d'Italia*, III (dicembre '48) 1213–1224

948040   Picco, Francesco: Madame Pradier e Madame Bovary nel romanzo Flaubertiano. Ds: *Giornale Italiano di Filologia* (Napoli) (novembre '48) 289–295

948041   Rat, Maurice: Madame Pradier en Emma Bovary. Ds: *FL*, 105 (24 avril '48) 1. (Sur F' et Louise Pradier.)

948042   Rat, Maurice: La véritable héroïne de *Madame Bovary* est enfin découverte. Ds: *FL*, 101 (27 mars '48) 1. (Sur F' et Louise Pradier.)

948043   Rat, Maurice: 'Madame Bovary, c'est moi'. Ds: *La Bataille* (30 juin '48)

948044   Reuillard, Gabriel: Y a-t-il deux Emma Bovary? Ds: *Opéra* (6 octobre '48) 2. (Sur F' et Louise Pradier: *Les Mémoires de Madame Ludovica* et les origines de *Madame Bovary*.)

948045   Schmidt-Degener, F.: Le siècle de F'. Ds: *Synthèses*, II, 11 ('48) 181–198

948046   Steegmuller, Francis: F's Sundays: Maupassant and James. Ds: *Cornhill Magazine* (Spring '48) 124–130

948047   Stonier, G. W.: J. H. Chase's books and F's *Salammbô*. Ds: *New Statesman and Nation*, XXXV (22 May '48) 417

948048   Strauss, Walter A.: Turgenev in the rôle of publicity for F's *La Tentation de Saint Antoine*. Ds: *Harvard Library Bulletin* (Autumn '48) 405–410

948049   Vendramin, Lorenzo: Des souvenirs apocryphes sur F'. Ds: *Mercure* (1er octobre '48) 374–378. (Sur les *Souvenirs*. d'E. Gachot, publiés ds: *Paris* (27 novembre 1890).)

948050   Vial, André: F', émule et disciple émancipé de Balzac. *L'Education sentimentale*. Ds: *RHLF*, XLVIII (juillet-septembre '48) 233–263

948051   XY: Pages retrouvées. *L'Education sentimentale*. Ds: *NL* (26 février '48) 5

Editions

949001   *Bouvard et Pécuchet. Dictionnaire des idées reçues. L'Album. Une Leçon d'histoire naturelle, genre commis.* Aquarelles et dessins par Jacques Boullaire. Gravures sur bois de Gilbert Poilliot. Ps: Les Editions Nationales, '49. 361p.

949002   *Education sentimentale.* Edité par E.-L. Ferrère. Préface de Robert Kemp. Lyon: Audin, '49. xviii, 461p.

949003   *Madame Bovary.* Nouvelle version précédée des scénarios inédits. Présentation par Jean Pommier et Gabrielle Leleu. Ps: Corti, '49. xxxii, 642p.

949004   — Gingerich, V. J.: CR. Ds: *FR*, XXIV ('50–'51) 356–357

949005   — Moreau, Pierre: CR. Ds: *RHLF*, LIII ('53) 104–105

949006   *Madame Bovary.* Ps: Editions du Dauphin, '49. 285p.

949007   *Madame Bovary.* Edited by W. Somerset Maugham in a new translation by Joan Charles. Illustrated by Ben Stahl. Philadelphia: Winston, '49. xxix, 295p. (Pour l'introduction de Somerset Maugham, voir 947039.)

949008   *Madame Bovary.* Translated from the French by Gerard Hopkins. Ldn: Hamilton, '49. x, 426p.

949009   *Salammbô.* Lettres à propos de *Salammbô*. Aquarelles et dessins par Edy Legrand. Gravures sur bois de Gilbert Poilliot. Ps: Les Editions Nationales, '49. 339p.

949010   *Salammbô.* Moscou: Editions en langues étrangères, '49. 338p.

949011   *La Tentation de Saint Antoine.* Gravures au burin de R. Brechenmacher. Ps: Editions du Val-de-Loire, '49. 250p.

949012   *Voyage en Orient.* Aquarelles et dessins par Jean-Gaston Mantel. Gravures sur bois de Gilbert Poilliot. Ps: Les Editions Nationales, '49. 434p.

Correspondance

949013   *Briefe an die Geliebte.* Ausgewählt und Übersetzt von G. H. Müller. Stuttgart: E. Klett, '49. 228p.

949014   *Lettere.* A cura di Paolo Serini. Torino: Einaudi, '49.

Autour de Flaubert

949015   Cour d'appel de Grenoble. Audience solennelle de rentrée du 3 octobre '49. Réhabilitation de *Madame Bovary*. Discours prononcé par M. Paul Goubert. (s.l.): Imprimerie de Dordelet, (s.d.). 34p.

Critique

949016   Audiat, Pierre: Maxime Du Camp ou le médisant scrupuleux. Ds: *La Revue de Paris* (juin '49) 121–126

949017   Bailly, René: La bibliothèque de F' à Croisset. Ds: *NL*, 1151 (22 septembre '49) 1

949018   Bart, Benjamin F.: A misdated F' letter. Ds: *MLN*, LVIX ('49) 425. (Sur une lettre à sa mère, d'Athènes, du 20 janvier 1851.)

Beuchat, Charles: F'. Voir 939007

949019   Buck, Eva: Deux aspects de l'art de F' dans *Madame Bovary*. Ds: *Dialogues*, 1 (juin '49) 59–86

949020   Bureau, Jean: A propos de F'. Le mariage de ses grands-parents maternels. Ds: *Mercure* (mai '49) 184–188

949021   Carter, A. E.: Tourgueneff's New Year's greeting to F'. Ds: *MLN*, LXIV ('49) 115. (Sur un message du 2 janvier 1877 de Tourgueneff à F'.)

949022   Chastel, André: L'épisode de la Reine de Saba dans *La Tentation de Saint Antoine*. Ds: *RR*, XL ('49) 261–267

949023   Dumesnil, René: La véritable Madame Bovary. Ds: *Larousse mensuel illustré*, 421 (septembre '49) 323–325

949024   Engstrom, A.G.: F's correspondence and the ironic and symbolic structure of *Madame Bovary*. Ds: *Studies in Philology*, XLVI ('49) 470–495

949025   Escholier, Raymond: Images de F'. Ds: *Journal de Genève* (1–2 mai '49) 3

949026   Fino, J. Frédéric, et Hourcade, Luis A.: *F'*. Santa-Fé: Impr. de la Universidad, '49. 58p. Extrait de *La Revista Universidad* (Santa-Fé), 21 ('49) 233–288

949027   Finot, André: Essais de clinique littéraire. Les Amis de F'. Louis Bouilhet. Ds: *Les Alcaloïdes* (février '49) 7–17;

(avril '49) 6–17; (juin '49) 7–17; (décembre '49) 6–16;
(février '50) 6–16; (mai '50) 5–14. Ps: H. Gaignault, '51.
68p.

Finot, André: Essais de clinique littéraire. Les Amis de
F'. Maxime Du Camp. Voir 947028

Henriot, Emile: Du nouveau sur *Madame Bovary*. CR des
articles de G. Leleu (947035) et de J. Pommier (947046)

949028   Iannatoni, Livio: Impressioni romane di F'. Ds: *Capitolium* (gennaio–febbraio '49) 45–48

949029   Lücke, Theodor: Die Spaltungen F's. Ds: *Aufbau*, 3 ('49) 248–256

949030   Lugli, Vittorio: *La Tentazione di Sant'Antonio*. Ds: *Dizionario letterario Bompiani delle opere e dei personaggi di tutti i tempi e di tutte le letterature*. Milano: V. Bompiani, t. VII, '49, 369–370

949031   Lugli, Vittorio: *Tre Racconti*. Ds: *Dizionario letterario Bompiani delle opere e dei personaggi di tutti i tempi e di tutte le letterature*. Milano: V. Bompiani, t. VII, '49, 518

949032   Mauriac, François: F'. Ds: F. Mauriac: *Mes Grands Hommes*. Monaco: Editions du Rocher, '49, 165–205; Ps: Fayard, '52, 397–412

949033   Merker, Emil: *F'*. Urach: K. Port, '49. 115p.

949034   Montergon, Camille de: F' à Concarneau (1875). Ds: *Nouvelle Revue de Bretagne* (janvier–février '49) 70–71

949035   Moreau, Pierre: *Madame Bovary*. Ps: Centre de Documentation Universitaire, '49. 2 vols.: 42, 55p.

949036   Pasquet, André: Ernest Pinard et le procès de *Madame Bovary*. Ps: Editions Savoir, Vouloir, Pouvoir, '49. 24p.

949037   Pommier, Jean: Noms et prénoms dans *Madame Bovary*. Essai d'onomastique littéraire. Ds: *Mercure*, 1030 (1er juin '49) 244–264. Aussi ds: J. Pommier: *Dialogues avec le passé*. Ps: Nizet, '67, 141–147

949038   Pommier, Jean: Sensation et images chez F'. Essai de critique psycho-physiologique. Ds: *Journal de Psychologie normale et pathologique*, XLII (juillet–septembre '49)

274–294. Aussi ds: J. Pommier: *Dialogues avec le passé.*
Ps: Nizet, '67, 300–318

949039   Pommier, Jean: Quelques lettres de F' et de Louis Bouilhet. 1846–1856. Ds: *Bulletin du Bibliophile* (avril-mai '49) 161–186; 225–237

949040   Pommier, Jean et Benassis, Dr. (A. Finot): A propos des maladies de F' et de Maxime Du Camp. Ds: *Les Alcaloïdes* (octobre '49) 8–15

949041   Poulet, Georges: F'. Ds: G. Poulet: *Etudes sur le temps humain.* Edinburgh: Edinburgh University Publications, Language and Literature, 1 ('49) 318–333. Aussi ds: G. Poulet: *Etudes sur le temps humain.* Ps: Plon, '50, 308–326

949042   Seznec, Jean: *Madame Bovary* et la puissance des images. Ds: *Médecine de France*, XIII ('49) 34–40

949043   Seznec, Jean: *Nouvelles études sur 'La Tentation de Saint Antoine'.* Ldn: The Warburg Institute, '49. 98p. (Studies of the Warburg Institute, XVIII.)

949044   — Demorest, Don Louis: CR. Ds: *RR*, XLII ('51) 217–219

949045   — Schwab, Raymond: CR. Ds: *RHLF*, LIII ('53) 249–250

949046   Spencer, Philip: Censorship of literature under the Second Empire. Ds: *Cambridge Journal*, III ('49) 47–55

Tancock, L. W.: CR des *Lettres choisies* de F'. Voir 947002

949047   Vialar, Paul: *Madame Bovary* ou l'imagination en amour. Ds: *Conférencia* (15 juin '49) 238–253

949048   XY: De Paul Foucher à F'. Ds: *Bulletin du Bibliophile* ('49) 490–491

Editions

950001   *Madame Bovary.* Préface par André Maurois. Aquarelles et dessins par Hermine David. Gravures sur bois de Bracons-Duplessis et Blaise Monod. Ps: Les Editions Nationales, '50. xvii, 379p.

950002   *Madame Bovary.* Préface de R. Kemp. Présentation du procès par Jacques Desforges. Ps: Delmas, '50. xx, 343p.

950003   *Madame Bovary.* Introduction par Paul Vernière. Ps: Editions de Cluny, '50; '57. xi, 450p.

950004   *Madame Bovary.* Translated by J. Lewis May with an introduction by Jacques de Lacretelle. Illustrated by Pierre Brissaud and engraved by Théo Schmied. New York: Limited Editions Club, '50. xiii, 349p.

950005   *Madame Bovary.* Translated by Alan Russell. Harmondsworth: Penguin, '50. 360p.

950006   *Madame Bovary.* Übertragen von Ernst Sander. Tübingen: Tübingen Verlagshaus, '50. 404p.

950007   *November.* Nachwort und Übertragung von Ernst Sander. Hamburg: Rowohlt, '50. 153p.

950008   *Salammbô.* (Extraits). Avec une notice biographique, une notice historique et littéraire par Jean Curtis. Ps: Larousse, '50. 84p.

950009   *La Tentation de Saint Antoine. Voyages, 1840. Préface aux 'Dernières Chansons' de Louis Bouilhet. Lettre à la Municipalité de Rouen.* Aquarelles et dessins par Louis-Berthommé Saint-André. Gravures sur bois de Gilbert Poilliot. Ps: Les Editions Nationales, '50. 315p.

950010   *Trois contes.* Introduction, notes et variantes par Edouard Maynial. Ps: Garnier, '50. 236p.

950011   *Tre Racconti.* Traduzione di Alvise Zorzi. Milano: Rizzoli, '50. 106p.

Correspondance

950012   *Lettres inédites à Raoul Duval.* Editées par Georges Normandy. Préface de Edgar Raoul-Duval. Ps: Albin Michel, '50. 314p.

950013   — Tancock, L. W.: CR. Ds: *FS*, V ('51) 81–82

950014   *Letters.* (Selected). Translated by J. M. Cohen. With an introduction by R. Rumbold. Ldn: Weidenfeld and Nicolson,'50. 248p.

950015   — Spagnioli, John R.: CR. Ds: *FR*, XXXV ('51–'52) 397–398

950016   — Seznec, Jean: CR. Ds: *MLR*, XLVII ('52) 426–427

Critique

950017   Bart, Benjamin F.: F' plagiarist of Chateaubriand. Ds: *MLN*, LXV ('50) 336–339. (Sur les rapports entre *La Mort du Duc de Guise* et *L'analyse raisonnée de l'histoire de France* de Chateaubriand.)

950018   Bart, Benjamin F.: F's itinerary in Greece. Ds: *PMLA*, L ('50) 371–387. (Sur le voyage de F' et Du Camp en Grèce, 19 décembre 1850–11 février 1851.)

950019   Beeching, Jack: F' and bourgeoisophobia. Ds: *Arena*, 4 ('50) 46–61

950020   Béguin, Albert: Relire *Madame Bovary.* Ds: *La Table Ronde* (27 mars '50) 160–164. Aussi ds: *Madame Bovary.* New York: Norton, '65, 292–297

       Benassis, Dr.: voir Finot, A.

950021   Bonfantini, Mario: F' o realismo romantico. Ds: M. Bonfantini: *Ottocento francese.* Torino: Silva, '50, 157–193. (Etude de *Madame Bovary*, *Salammbô* et *L'Education sentimentale.*)

950022   Bonwit, Marianne: *F' et le principe de l'impassibilité.* Berkeley: University of California Press, '50. ix, puis 263–420. (University of California Publications in Modern Philology, XXXIII, 4 ('50) 263–420)

950023   Bonwit, Marianne: F' auf Goethes Spuren: in Italien und im *Château des cœurs.* Ds: *PMLA*, LXV (June '50) 388–396

950024   Clavería, Carlos: Unamuno y *La Enfermedad de F'.* Ds: *Hispanic Review*, XVIII ('50) 42–62

950025   Colmant, Paul: L'enterrement d'Emma Bovary. Ds: *Les Etudes Classiques* (juillet '50) 334–343

950026 Desprechins, Robert: Les différentes couvertures de l'édition originale de *Madame Bovary*. Ds: *Bulletin du Bibliophile* ('50) 159–161

950027 Digeon, Claude: Un discours inconnu de F'. Ds: *RHLF*, L ('50) 420–434. (*Discours à L'Académie de Rouen*, attribué à Alfred Nion mais écrit par F' en 1862.)

950028 Dumesnil, René: F'. Method and mastery. Ds: *Saturday Review of Literature*, XXXIII (2 December '50) 15 et seq.

950029 Durry, Marie-Jeanne: *F' et ses projets inédits*. Ps: Nizet, '50. 416p. (Discussion de trois carnets de F', 1862–1874.)

950030 — Bart, Benjamin F.: CR. Ds: *MLN*, LXVI ('51) 206–208

950031 — Demorest, Don Louis: CR. Ds: *RR*, XLII ('51) 219–222

950032 — Pommier, Jean: CR. Ds: *RHLF*, LIII ('53) 108–112

950033 — Dupuy, Aimé: CR. Ds: *Les Amis de F'*, 5 ('54) 70–72

950034 Engstrom, A. G.: Dante, F' and *The Snows of Kilimanjaro* (Hemingway). Ds: *MLN*, LXV ('50) 203–205

950035 — Orrock, D. H.: Hemingway, Hugo and revelation. Ds: *MLN*, LXVI (November '51) 441–445

950036 Finot, André: Essais de Clinique Littéraire. Les Amis de F'. Louise Colet. Ds: *Les Alcaloïdes* (septembre '50) 7–16; (décembre '50) 5–15; (février '51) 7–18; (mai '51) 6–16; (septembre '51) 6–17; (décembre '51) 5–15; (mars '52) 6–15. Ps: H. Gaignault, '52. 78p.

Finot, André: Les Amis de F'. Louis Bouilhet. Voir 949027

Friedrich, Hugo: F'. Voir 939012

Gingerich, V. J.: CR de *Madame Bovary*. Nouvelle version. Voir 949004

950037 Henriot, Emile: Un amour de F'. Eulalie. Ds: *Le Bayou*, 44 (hiver '50) 261–267. (Sur F' et Eulalie Foucaud.)

950038 Heuzey, Jacques: Les Panathanées dans *La Tentation de Saint Antoine* de F'. Ds: *Lettres d'Humanité*, IX (mars '50) 264–267

950039   Iglesias, A.: Classic blend in literature. *Madame Bovary.* Ds: *Saturday Review of Literature*, XXXIII ('50) 7

950040   Jean-Aubry, G.: F' and music. Ds: *Music and Letters* (January '50) 13–29

950041   Lugli, Vittorio: Emma Bovary, protagonista dell'omonimo romanzo di F'. Ds: *Dizionario letterario Bompiani delle opere e dei personaggi di tutti i tempi e di tutte le letterature.* t. VIII, '50, 288

950042   Maranini, Lorenza: *Fatalità e natura in 'Madame Bovary'.* Pavia: Tip. Ticinese, '50. 21p; Pavia: C. Busca, '51. 23p. Aussi ds: *Les Amis de F'*, 4 ('53) 2–11, sous le titre: 'La fatalité et la nature dans *Madame Bovary*'.

950043   Muselli, Vincent: *Bouvard et Pécuchet.* Ds: *Les Belles Lectures* (1–14 décembre '50) 1–2

950044   Olivero, Frederico: *Belkiss* di Eugenio De Castro e F'. Ds: *Quaderni ibero-americani* ('50) 1–4. (Sur *Belkiss, Salammbô* et *La Tentation de Saint Antoine*.)

950045   Pommier, Jean: Nouvelle note sur la santé de F'. Ds: *RHLF*, L (octobre–décembre '50) 435–436

           Poulet, Georges: F'. Voir 949041

950046   Rat, Maurice: On connait aujourd'hui la maladie de F'. Ds: *FL* (13 mai '50) 6

950047   Segura, Enrique: Guy de Maupassant a través de la *Correspondance* de F'. Ds: *Cuadernos de Literatura* (Madrid), VII (enero–junio '50) 203–220

950048   Starkie, Enid: F's *Madame Bovary.* (Abstract). Ds: *Proceedings of the Royal Institute of Great Britain*, 156 ('50) 407–412

950049   Tesnière, Lucien: Les trois Gustave. Ds: *Notre Vieux Lycée*, 76 ('50) 310–314

           Turnell, Martin: F'. Voir 945028

950050   Van Ghent, Dorothy: Clarissa and Emma as Phèdre. Ds: *Partisan Review*, XVII ('50) 820–833

Editions

951001   *Dictionnaire des idées reçues.* Suivi du *Catalogue des idées chic.* Ps: J. Aubier, '51. 158p.

951002   *Education sentimentale.* Aquarelles et dessins de Louis Touchagues. Gravures sur bois de Bracons-Duplessis. Ps: Les Editions Nationales, '51. 463p.

951003   *Madame Bovary.* Eaux-fortes originales de Michel Ciry. Ps: J. Porson, '51. 277p.

951004   *Madame Bovary. Bouvard et Pécuchet. Le Dictionnaire des idées reçues.* Etude et notes de S. de Sacy. Ps: Le Club français du livre, '51. xxxi, 1014p.

951005   *Salammbô.* Ps: Lemerre, '51. 464p.

951006   *Trois contes. Par les champs et par les grèves.* Aquarelles et dessins de Gaston Barret. Gravures sur bois de Gilbert Poilliot. Ps: Les Editions Nationales, '51. 329p.

Critique

951007   Auerbach, Erich: In the Hôtel de la Mole. Stendhal, Balzac, F'. Ds: *Partisan Review,* XVIII ('51) 265–303

951008   Bac, Ferdinand: Souvenirs sur F' racontés par sa nièce Caroline. Ds: *Les Amis de F',* 2 ('51) 16–17

951009   Bart, Benjamin F.: Balzac and F'. Energy versus art. Ds: *RR,* XLII ('51) 198–204

951010   — Frohock, W. M.: Energy versus art. A suggested alternative. Ds: *RR,* XLIII ('52) 155–156

951011   — Spitzer, Leo: Balzac and F' again. Ds: *MLN,* LXVIII ('53) 583–590

     Bart, Benjamin F.: CR de Marie-Jeanne Durry: *F' et ses projets inédits.* Voir 950030

     Benassis, Dr.: Voir Finot, André.

951012   Blackmur, R. P.: *Madame Bovary.* Beauty out of place. Ds: *KR,* XII (Summer '51) 475–503

951013   Bopp, Léon: *Commentaire sur 'Madame Bovary'.* Neuchâtel: Editions de la Baconnière, '51. 551p.

951014 — Audiat, Pierre: CR. Ds: *RHLF*, LIII ('53) 105–108

951015 — Cardew, Robert H.: CR. Ds: *FR*, XXVII ('53–'54) 143–146

951016 Bopp, Léon: Le bonheur de Charles Bovary. Ds: *Journal de Genève* (26–27 août '51)

951017 Bopp, Léon: Les débuts de Charles Bovary. Ds: *Action et Pensée*, 27e année, 3 (septembre '51) 79–84

951018 Brosset, Georges: La jeunesse de F'. Ds: *Revue stellienne*, 182 (mai '51)

951019 Brosset, Georges: L'acceuil réservé en Suisse à l'œuvre de F'. Ds: *Les Amis de F'*, 1 ('51) 48–49

951020 Brosset, Georges: Est-ce bien en Egypte (1850) que F' a conçu le projet d'écrire *Madame Bovary*? Ds: *Les Amis de F'*, 2 ('51) 4–6

951021 Couffignal, Robert: La caméra chez F'. Ds: *Pédagogie* (juillet '51) 437–446. (Sur les aspects cinématographiques de l'écriture flaubertienne.)

951022 Dédéyan, Charles: Une lettre inédite de F'. Ds: *RLC*, XXV ('51) 348–355. (Au Dr. Jules Cloquet, Damas, le 7 septembre 1850.)

Demorest, Don Louis: CR de J. Seznec: *Nouvelles études sur 'La Tentation de Saint Antoine'*. Voir 949044

Demorest, Don Louis: CR de M.-J. Durry: *F' et ses projets inédits*. Voir 950031

951023 Dubosc, Georges: F' au Collège de Rouen. Ds: *Notre Vieux Lycée*, 80 ('51) 439–441. (Article de 1906.)

951024 Dumesnil, René: Introduction. Ds: *Les Amis de F'*, 1 ('51) I–III

951025 Dumesnil, René: F' et *La Tentation de Saint Antoine*. Ds: *Ecclesia. Lectures chrétiennes* (janvier '51) 45–47

951026 Durand, André: *Madame Bovary* et Neufchâtel-en-Bray. Ds: *Le Réveil de Neufchâtel-en-Bray* (28 novembre '51). Aussi ds: *Les Amis de F'*, 3 ('52) 2–6

951027 Duthie, E. L.: The conclusion of F's *Saint Antoine*. Ds: *The Contemporary Review* (September '51) 157–161

Finot, André: Essais de Clinique Littéraire. Les Amis de F'. Louis Bouilhet. Voir 949027

Finot, André: Essais de Clinique Littéraire. Les Amis de F'. Louise Colet. Voir 950036

951028   Gavel, H.: A propos de deux passages de *Madame Bovary*. Ds: *Mélanges de linguistique offerts à Albert Dauzat par ses élèves et amis*. Ps: Artrey, '51, 109–113. (Sur la noce et l'enterrement d'Emma.)

951029   Hainsworth, G.: Un thème des romanciers naturalistes. La Matrone d'Ephèse. Ds: *CL* (Spring '51) 129–151. (Références à *Madame Bovary* et à *L'Education sentimentale*.)

951030   Heuzey, Jacques: L'épisode du Python au chapitre X de *Salammbô*. Ds: *Les Amis de F'*, 1 ('51) 3–10

951031   Heuzey, Jacques: Le costume de Salammbô. Ds: *Les Amis de F'*, 2 ('51) 7–15

951032   Heuzey, Jacques: F' et Léon Heuzey. Ds: *Les Amis de F'*, 1 ('51) 20–24

951033   Lacoste, Paul: Les enfants dans la documentation et l'œuvre de F'. Ds: *Les Amis de F'*, 1 ('51) 33–46; 2 ('51) 17–37

951034   Lambert, Pierre-Marie: A l'Hôtel-Dieu de Rouen, cent ans après. Ds: *Les Amis de F'*, 1 ('51) 30–32

951035   Laumet, Lucien: *La sensibilité de F'*. Préface par René Dumesnil. Alençon: Poulet-Malassis, s.d. ('51). 233p.

951036   La Varende, Jean de: *F' par lui-même*. Images et textes par J. de La Varende. Ps: Editions du Seuil, '51. 187p. (Collection: Ecrivains de toujours.)

951037   Lefai, Henri: *F' et Huysmans*. Ps: Durtal, '51. 7p. Extrait du *Bulletin de la Société J.-K. Huysmans*, 23 ('51) 140–145. Voir 953049. (Sur l'influence de F' sur Huysmans.)

951038   Lévy, Yves: Quand Lamartine défendait *Madame Bovary*. Ds: *Evidences* (novembre '51) 27–28

951039   Lion, Ferdinand: Der Stil in *Madame Bovary*. Ds: *Neue Schweizer Rundschau* (Januar '51) 552–557

951040   Lugli, Vittorio: Gli umori di F'. Ds: *Il Mondo* (9 giugnio '51). Aussi ds: V. Lugli: *Tre mezzi secoli*. Venezia: Neri Pozza, '55, 173–178

951041   Martin, René-Marie: Le Musée F' et l'histoire de la médecine à l'Hôtel-Dieu de Rouen. Ds: *Les Amis de F'*, 1 ('51) 25–29

951042   Maynial, Edouard: Maupassant juge de F'. Ds: *Les Amis de F'*, 1 ('51) 46–48

951043   Mazeraud, J.: F' dans la région de l'Aube et du Nogentais. Ds: *Les Amis de F'*, 1 ('51) 17–19

951044   Mendelssohn, P. de: A new and rather bewildering Emma Bovary. Ds: *Spectator* (20 April '51) 527

951045   Mettra, Jacques: F' et le réalisme. Ds: *Bulletin de l'Institut français en Espagne*, 48 (février '51) 26–29

        Orrock, D. H.: Hemingway, Hugo and revelation. Voir 950035

951046   Pommier, Jean: Petite note sur *Madame Bovary*. Images et roman. Ds: *Les Amis de F'*, 2 ('51) 3–4

951047   Seznec, Jean: *F' à l'Exposition de 1851*. Oxford: Clarendon Press, '51. 39p.

        Spagnioli, John R.: CR des *Letters of F'*. Voir 951015

951048   Spencer, Philip: F' en Angleterre. Ds: *Les Amis de F'*, 2 ('51) 37–39. (Sur l'influence de F'; sur Henry James.)

951049   Spencer, Philip: F' and the grotesque. Ds: *The Listener* (8 November '51) 781–782

        Tancock, L. W.: CR des *Lettres inédites à Raoul Duval*. Voir 950013

951050   Tild, Jean: (F' et Gautier.) Ds: J. Tild: *Théophile Gautier et ses amis*. Ps: Albin Michel, '51, 215–220

951051   Toutain-Revel, Jacques: Un centenaire flaubertien: celui d'un Voyage en Orient de F' avec Maxime Du Camp. Ds: *Les Amis de F'*, 1 ('51) 11–16

951052   Toutain-Revel, Jacques: Notre bulletin. Ds: *Les Amis de F'*, 1 ('51) 1–2

951053   Toutain-Revel, Jacques: Le centenaire de la Bovary. Ds:
Les Amis de F', 2 ('51) 1–2

1952

Editions

952001   *L'Œuvre de F'.* (Extraits) Présentée par Claude Cuenot. Ps: Hachette, '52. 124p.

952002   (*Le Dictionnaire des idées reçues.*) Sabino, Fernando: *Lugarescomuns.* Rio de Janeiro: Ministério da Educação e Saúde, '52. 102p. (Traduction du *Dictionnaire* de F'.)

952003   *Education sentimentale.* Introduction par Edmond Pognon. Ps: Club Bibliophile de France, '52. 2 vols.

952004   *Madame Bovary.* Saverne: Sélection des Amis du Livre, '52. 341p.

952005   *Madame Bovary.* Übertragung von René Schickelé. Nachwort von G. de Maupassant. Zürich: Manesse Verlag, '52. 590p.

952006   *Trois contes.* Illustrations originales en couleurs de Jacques Ciry-Breune. Ps: Rombaldi, '52. 205p.

Correspondance

952007   Cinq lettres, dont quatre à 'l'excellent Père Baudry'. Ds: *Quo Vadis*, 5e année (janvier–mars '52) 67–73. (Sur F' et Alfred Maury.)

Critique

Bertrand, Georges-Emile: Comment j'ai connu F'. Voir 947021

952008   Block, Haskell M.: F', Yeats and the National Library [of Ireland]. Ds: *MLN* (January '52) 55–56

952009   Buck, Stratton: Chronology of the *Education sentimentale.* Ds: *MLN*, LXVII ('52) 82–92

952010   Burns, C. A.: Henry Céard and his relations with F' and Zola. Ds: *FS*, VI (October '52) 308–324

Durand, André: *Madame Bovary* et Neufchâtel-en-Bray. Voir 951026

Finot, André: Essais de Clinique Littéraire. Les Amis de F'. Louise Colet. Voir 950036

952011   Finot, André: Essais de Clinique Littéraire. Les Amis de F'. Ernest Feydeau. Ds: *Les Alcaloïdes* (mai '52) 7–16; (octobre '52) 5–11; (décembre '52) 6–16; (mars '53) 7–17; (mai '53) 7–17. Ps: H. Gaignault, '55. 53p.

952012   Fougère, Mme Paule: La Pharmacie Homais. Ds: *Revue d'Histoire de la Pharmacie*, 40e année, 135 (décembre '52) 462–465

Frohock, W. M.: Energy versus art. A suggested alternative. CR de B. F. Bart: Balzac and F'. Energy versus art. Voir 951010

952013   Gérard-Gailly: La Vaubyessard. Ds: *Les Amis de F'*, 3 ('52) 7–9. (Sur le nom 'La Vaubyessard'.)

Glauser, Alfred: CR de A. Thibaudet: *F'*. Voir 921133

952014   Gottschalk, A.: F' fut-il gourmand? Ds: *Grandgousier* (octobre–novembre '52) 22–33; (décembre '52) 1–10

952015   Guerri, Maria: (Sur la correspondance Bouilhet-F'.) Ds: *Letteratura moderne* (novembre–dicembre '52) 647. Aussi ds: *Les Amis de F'*, 4 ('53) 49–50

952016   Lapierre, Charles: F' à Croisset. Ds: *Les Amis de F'*, 3 ('52) 13–21. Paru en 1890.

952017   Lapp, John C.: *Notes and commentary on F's 'Madame Bovary'*. Oberlin, Ohio: Press of The Times, '52. 63p.

952018   Leroy, Paul: La Bibliothèque de F' a regagné Croisset. Ds: *NL* (21 août '52) 2

952019   Levin, Harry: *Madame Bovary*. The Cathedral and the Hospital. Ds: *Essays in Criticism* (January '52) 1–23. Aussi ds: *Madame Bovary*. New York: Norton, 1965, 407–425. Article remanié sous le titre 'The Female Quixote' ds: H. Levin: *The Gates of Horn*. New York: Oxford University Press, 1963, 246–269. Aussi ds: *'Madame Bovary' and the critics*. A Collection of essays. Edited by B. F. Bart. New York: New York University Press, '66, 106–131

Lugli, Vittorio: Lo stile indiretto libero in F' e in Verga. Voir 942017

952020   Maranini, Lorenza: *Novembre* di F'. Ds: *Rivista di Letterature Moderne*, III, 3 (luglio–settembre '52) 180–193. Traduction ds: *Les Amis de F'*, 7 ('55) 2–14.

Article remanié ds: L. Maranini: *Visione e personaggio.* Padova: Liviana editrice, '59, 57–77. Traduction ds: *Les Amis de F',* 16 ('60) 12–25

952021 Martin, René: Comment naquit une vocation. Ds: *Les Amis de F',* 3 ('52) 10–11. (Sur Maurice Leblanc.)

Mauriac, François: *F'.* Voir 949032

952022 Moreau, Pierre: En marge de quelques auteurs. Ds: *Revue universitaire,* 61e année, 1 (janvier–février '52) 27–29. (Sur *Madame Bovary,* voir 28–29.)

952023 Paolella, R.: F' anticipato fustigatore delle bandite dello schermo. Ds: *La Fiera Letteraria* (19 octobre '52) 1

952024 Pichois, Claude: Le procès de *Madame Bovary.* Un Magistrat à réhabiliter. Ds: *L'Ecole* (29 mars '52) 445–448. (Sur Ernest Pinard.)

952025 Pommier, Jean et Digeon, Claude: Du nouveau sur F' et son œuvre. Ds: *Merçure* (1er mai '52) 37–55

952026 Rat, Maurice: F' a-t-il été l'amant de Madame Bovary et de Madame Pradier? Ds: *FL,* 319 (31 mai '52) 8. (Sur F' et Louise Pradier; F' et Elisa Schlésinger.)

952027 Renaudin, André: *Conférence sur F.-C. Lapierre. Manifestation littéraire tenue par la Société des Amis de F'.* Yvetôt: Retteville frères, '52. 23p. Aussi ds: *Les Amis de F',* 3 ('52) 25–44

957028 Revel, Bruno: Lettere inedite di Bouilhet à F'. Ds: *Letteratura moderne* (novembre–dicembre '52) 633–647

956029 Revel, Jean: Une farce joyeuse de François-Charles Lapierre à F'. Ds: *Les Amis de F',* 3 ('52) 21–24

Seznec, Jean: CR des *Letters of F'.* Voir 951016

952030 Spencer, Philip: *F'. A biography.* Ldn: Faber and Faber, '52. 268p.

952031 — Frank, J.: CR. Ds: *New Republic,* CXXX (15 February '54) 17–18

Spitzer, Leo: Balzac and F' again. CR de B.F. Bart: Balzac and F'. Energy versus art. Voir 951011

952032   Steegmuller, Francis: *La Vie tourmentée de F'.* Milan: Rizzoli, '52. 315p.

952033   Steinhart-Lens, Helmut: *F's große Liebe: Elisa Foucauld, das Urbild der Madame Arnoux.* Baden-Baden: Kairos Verlag, '52. 159p.

952034   Thibaudet, Albert: F'. Ds: A. Thibaudet: *Histoire de la Littérature française de 1789 à nos jours.* Ps: Delamain et Boutelleau, '52, 334–342

952035   Ullmann, Etienne de (Istvan): Valeurs stylistiques de l'inversion dans *L'Education sentimentale.* Ds: *Le Français moderne* (juillet '52) 175–188

952036   XY: A propos du film de *Madame Bovary.* Ds: *Les Amis de F',* 3 ('52) 45–46

952037   XY: CR de la dramatisation de *La Légende de Saint Julien l'Hospitalier* par Max Gallic. Ds: *France Illustration,* 364 (4 octobre '52) 378

Editions

953001   *Education sentimentale.* Introduction par E. Pognon. Ps: Club Bibliophile de France, '53.

953002   *La Légende de Saint Julien l'Hospitalier.* 20 illustrations et 3 lettrines gravées au burin de Laure DeVolvé. Ps: Compagnie française des arts graphiques, '53. 111p.

953003   *Madame Bovary.* Introduction par E. Pognon. Ps: Club Bibliophile de France, '53. 382p.

953004   *Madame Bovary.* Préface de Francis Carco. Lithographie originale de Dunoyer de Segonzac. Monte Carlo: A. Sauret, '53. 455p.

953005   *Madame Bovary.* Illustrations en couleurs de Brunelleschi. Lettrines et culs-de-lampe de A. M. Vergnes. Ps: Gibert Jeune, '53. 307p.

953006   *Salammbô.* Introduction: *'Salammbô', psychodrame épique* (par A. M. Schmidt.) Ps: Bibliothèque mondiale, '53. 328p.

953007   *Trois contes.* Avec une notice biographique, une notice historique et littéraire, des notes par Maurice Bruézière. Ps: Larousse, '53. 125p.

Correspondance

953008   *Correspondance inédite.* Recueillie, classée, et annotée par René Dumesnil, Jean Pommier et Claude Digeon. Ps: Conard, '53. 4 vols: (1830–1863) xii, 343p; (1864–1871) 319p; (1872–juin 1877) 365p; (juillet 1877–mai 1880) 362p.

953009   — Henriot, Emile: Onze cents lettres de F'. Ds: *Le Monde* (17 février '54) 7. Aussi ds: E. Henriot: *Courrier Littéraire. XIXe Siècle. Réalistes et Naturalistes.* Ps: Albin Michel, '54, 69–75

953010   — Serini, Paolo: La vendetta di Homais. Ds: *Il Mondo* (1 giugno '54) 9

953011   — Spencer, Philip: CR. Ds: *FS*, VIII ('54) 362–364

953012   — Toutain-Revel, Jacques: CR. Ds: *Les Amis de F'*, 5 ('54) 69–70

953013   — XY: CR. Ds: *TLS* (17 September '54) 590

953014 — XY: CR. Ds: *Revue de Paris* (février '54) 148–152

953015 — Bart, Benjamin F.: F's *Correspondence*. Ds: *RR*, XLVI ('55) 25–34

953016 — Cecchi, E.: Nuove lettere di F'. Ds: *Corriere della Sera* (17 maggio '55)

953017 — Pichois, Claude: CR. Ds: *RHLF* (juillet–septembre '55) 376–381

953018 — Bellaunay, P.: CR. Ds: *Neophilologus*, XL ('56) 320–323

953019 — Bonnerot, Jean: CR. Ds: *Bulletin du Bibliophile* ('56) 87–89

953020 Huit lettres inédites. Ds: *Mercure*, 1083 (novembre '53) 385–396

953021 Correspondance. Lettres à Madame Brainne; à A. M. Galli; à Charles Houzeau. Ds: *Les Amis de F'*, 4 ('53) 34–39

Autour de Flaubert

953022 Société des Amis de F'.: *Exposition F' - Zola*, organisée au Musée de l'Hôtel-Dieu de Rouen, '53. 7ff.

Critique

953023 Angioletti, G. B.: F' a Rouen e a Croisset. Ds: *Lo Smereldo* (30 marzo '53) 17–20

953024 Anselmo, Francesco: *Salammbô* nelle Weltanschauung flaubertiana. Ds: *Humanitas* (novembre '53) 1139–1158

Audiat, Pierre: CR de L. Bopp: *Commentaire sur 'Madame Bovary'*. Voir 951014

Auerbach, Erich: *Madame Bovary*. Voir 946023

953025 Bart, Benjamin F.: Is Maxime Du Camp a reliable witness? Ds: *MLR*, XLVIII ('53) 17–25. (Critique de la vue de F' présentée dans les *Souvenirs* de Maxime Du Camp.)

953026 Bart, Benjamin F.: F' at Bassae. An elucidation. Ds: *MLN*, LXVIII ('53) 546–548

953027 Barthes, Roland: *Le Degré Zéro de l'Ecriture.* Ps: Seuil, '53. (Sur la 'valeur-travail' de l'écriture; la 'flaubertisation' de l'écriture: voir 89–94)

953028 Bauchard, (Charles): Sur les traces de F' et de Madame Schlésinger. Ds: *RHLF*, LIII ('53) 38–43

953029 Benedetto, Luigi Foscolo: La coppia Salammbô-Mâtho. Ds: L. F. Benedetto: *Uomini e Tempi.* Milano-Napoli: Ricciardi, '53, 385–402. (Sur les rapports entre le couple Salammbô–Mâtho et le couple Tanit–Moloch.)

953030 Billy, André: Le Livre de chevet: *L'Education sentimentale.* Ds: *Les Annales* (septembre '53) 3–14

953031 Billy, André: F' jugé par les Goncourt. Ds: *FL* (23 août '53) 2

953032 Bonnerot, Jean: Le portefeuille épistolaire de l'énigmatique Henri Harisse. Lettres de F'. Ds: *Mercure*, 1084 (décembre '53) 659–678. (Lettres de F': 665–667)

953033 Cardew, Robert H.: Un romancier juge d'un poète. F' et Leconte de Lisle. Ds: *MLN* (May '53) 235–239

Cardew, Robert H.: CR de L. Bopp: *Commentaire sur 'Madame Bovary'.* Voir 951015

953034 Comtesse, Alfred: Sur un grand livre. *Trois contes* de F'. Ds: *Stultifera Navis*, 10e année, 3–4 ('53) 75–83

953035 Digeon, Claude: F' et le *Dictionnaire des idées reçues* Ds: *Annales Universitatis Saraviensis*, 4 ('53) 283–291

953036 Dumesnil, René: F' et la *Revue de Paris.* Ds: *Revue de Paris* (août '53) 101–107

953037 Dupuy, Aimé: En marge de *Salammbô.* Le Voyage de F' en Algérie-Tunisie (avril–juin 1858). Ds: *Revue de la Méditerranée*, XIII, 54 (mars–avril '53) 159–171; 55 (mai–juin '53) 283–297; 56 (juillet–août '53) 457–470; 57 (septembre–octobre '53) 562–576. Ps: Nizet, '54. 56p. Aussi ds: *Les Amis de F'*, 7 ('55) 15–24; 8 ('56) 34–45; 9 ('56) 15–25

953038 — Rat, Maurice: Comment F', à Marsa, découvrit la fille d'Hamilcar. Ds: *FL*, 455 (8 janvier '55) 9

953039 — XY: CR. Ds: *Les Amis de F'*, 6 ('55) 54

953040   Durand, André: *'Madame Bovary' et Neufchâtel-en-Bray* Neufchâtel: Radiguet, '53. 6p.

953041   Errera, D.: Religione lontana di F' in Italia. Ds: *Il Giornale* (Napoli) (12 maggio '53)

         Finot, André: Essais de Clinique Littéraire. Les Amis de F'. Ernest Feydeau. Voir 952011

953042   François, Alexis: F', Maxime Du Camp et la révolution de 1848. Ds: *RHLF*, LIII (janvier–mars '53) 44–56

953043   Guerri, Maria: Sur la Correspondance Bouilhet-F'. Ds: *Les Amis de F'*, 4 ('53) 49–50

953044   Heuzey, Jacques: Quelques sources inédites de *La Tentation de Saint Antoine*. Ds: *RHLF*, LIII ('53) 62–85

953045   Hobden, L. Hamlyn: L'utilisation du *Dictionnaire des idées reçues* dans l'œuvre de F'. Ds: *L'Amérique française* (janvier–février '53) 40–48; (mai–juin '53) 54–58; (juillet–août '53) 37–45; (novembre–décembre '53) 32–40

953046   Jaloux, Edmond: F' et les réalistes. Ds: E. Jaloux: *Visages français*. Ps: Albin Michel, '53, 118–130

953047   — XY: CR. Ds: *Les Amis de F'*, 7 ('55) 60

953048   Junker, Albert: Die Darstellung der Februarrevolution in Werke F's. Ds: *Gedächtnisschrift für Adalbert Hämel.* Herausgegeben vom Romanischen Seminar der Universität Erlangen. Würzburg: Triltsch, '53, 93–119

953049   Lefai, Henri: F' et Huysmans. Ds: *Les Amis de F'*, 4 ('53) 31–34. (Conférence du 1er juillet '51 au Pavillon de Croisset. Voir 951037.)

953050   Madsen, Börge Gedsö: Realism, irony and compassion in F's *Un cœur simple*. Ds: *FR*, XXVII ('53–'54) 253–258

         Maranini, Lorenza: La fatalité et la nature dans *Madame Bovary*. Voir 950042

953051   Mazeraud, M. J.: F' et la Champagne. Ds: *La Vie en Champagne* (juin, juillet, août '53). Aussi ds: *Les Amis de F'*, 5 ('54) 31–37

         Moreau, Pierre: CR de *Madame Bovary*. Nouvelle version précédée des scénarios inédits. Voir 949005

953052   Pinatel, Joseph: Notes vétilleuses sur la chronologie de *L'Education sentimentale.* Ds: *RHLF*, LIII (janvier–mars '53) 57–64. (Sur les dates et les calculs du temps dans le roman.)

Pommier, Jean: CR de M.-J. Durry: *F' et ses projets inédits.* Voir 950032

953053   Prucher, Auda: La rappresentazione dell'Egitto nelle tre redazioni della *Tentation de Saint Antoine.* Ds: *Atti e Memorie dell'Accademia toscana La Columbaria*, XVIII ('53) 79–209

953054   Rat, Maurice: F' à Bade, ou la vieillesse de Madame Arnoux. Ds: *FL*, 397 (28 novembre '53) 9

953055   Reuillard, Gabriel: L'amitié littéraire d'Emile Zola pour F'. Ds: *Les Amis de F'*, 4 ('53) 11–20

953056   — XY: CR. Ds: *Les Amis de F'*, 4 ('53) 43

953057   Reuillard, Gabriel: Le pensum de F'. Ds: *Paris-Normandie* (13 novembre '53) 3. Aussi ds: *Les Amis de F'*, 5 ('54) 45–46. (Sur F' et Louise Colet.)

953058   Reuillard, Gabriel: La Bibliothèque personnelle de F'. Ds: *Le Monde* (19 septembre '53) 7

953059   Revel, Bruno: Bouilhet eut-il de l'influence sur F'? Ds: *Les Amis de F'*, 4 ('53) 28–30. Voir aussi 952028

953060   Rossi, Louis R.: The structure of F's *Bouvard et Pécuchet* Ds: *MLQ*, XIV ('53) 102–111

953061   Roy, Claude: F'. Ds: C. Roy: *Le Commerce des Classiques.* Ps: Gallimard, '53, 235–241

953062   Rudich, Norman: L'unité artistique chez F'. Esthétique rêvé et réel. Ds: *DA*, XIII ('53) 554–555

953063   Ryelandt, C.: *Malgrétout.* Histoire d'un roman. G. Sand et les Ardennes. Ds: *La Grive*, 77 (avril '53) 1–29. (Contient trois lettres de Sand à F'.)

Schwab, Raymond: CR de J. Seznec: *Nouvelles études sur 'La Tentation de Saint Antoine'.* Voir 949045

Spitzer, Leo: Balzac and F' again. CR de B. F. Bart: Balzac and F'. Energy versus art. Voir 951011

953064   Trilling, Lionel: F's last testament. Ds: *Partisan Review* (November–December '53) . Aussi ds: *Preuves*, 45 (novembre '54) 31–45. Aussi ds: L. Trilling: *The Opposing Self.* Ldn: Secker and Warburg, '55, 173–205. (Sur *Bouvard et Pécuchet.*)

953065   Vandegans, André: F' inspirateur d'Anatole France en 1876. Ds: *Les Amis de F'*, 4 ('(3) 25–27. (Sur F' et France: *La cure du Docteur Hardel.*)

953066   Vinaver, Eugene: The Legend of Saint Julian. Ds: *John Rylands Library Bulletin* (Manchester), XXXVI (September '53) 228–244

1954

Editions

954001   *Bibliomania.* Illustrated by Arthur Wragg. Ldn: Rodale Press, '54. 42p.

954002   *Bouvard and Pécuchet.* Translated by T. W. Earp and G. W. Stonier, with an introduction by Lionel Trilling. Norfolk, Connecticut: New Directions, '54. xxxvii, 348p. (Traduction publiée en 1936. Pour l'introduction de Trilling, voir 953064)

954003   — Phillips, E. M.: CR. Ds: *FS*, XI ('57) 81–83

954004   *The Dictionary of Accepted Ideas.* Translated with an introduction and notes by Jacques Barzun. Norfolk, Connecticut: New Directions, '54. 86p.

954005   — Phillips, E. M.: CR. Ds: *FS*, XI ('57) 81–83

954006   *Dictionary of Platitudes.* Translated by Edward J. Fluck. Ldn: Rodale Press, '54. xi, 182p.

954007   *Madame Bovary.* Drame lyrique en 3 actes et 7 tableaux, d'après F'. Livret de René Fauchois. Ps: Théâtre National de l'Opéra Comique (1er juin '51). Ps: Choudens, '54. 96p.

Correspondance

954008   *Briefe an Hippolyte Taine.* Autorisierte Übersetzung von E. W. Fischer. Wiesbaden: Limes Verlag, '54. 63p.

954009   Correspondance de F'. Lettres à Charles-Edmond Chojecki et à Mme Brainne. Ds: *Les Amis de F'*, 5 ('54) 46–64; 6 ('55) 40–46; 7 ('55) 54–59

954010   — Jacobs, Alphonse: Datation des lettres de F'. Ds: *Les Amis de F'*, 6 ('55) 32

954011   Lettre inédite de F'. Ds: *Quo Vadis*, 7e année (juillet-septembre '54) 121–124

954012   *The Selected Letters of F'.* Translated and with an introduction by Francis Steegmuller. Ldn: Hamish Hamilton, '54. 254p; New York: Farrar, Strauss and Young, '54. xxx, 281p.

Critique

954013   Bart, Benjamin F.: Aesthetic distance in *Madame Bovary*. Ds: *PMLA*, LXIX ('54) 1112–1126

954014   Bauchard, Charles: En marge de *L'Education sentimentale*. Le premier mari de Madame Arnoux. Ds: *RHLF*, LIV ('54) 205–208

954015   Billy, André: F' a-t-il oublié d'enterrer le Père Bovary? Ds: *FL*, 449 (27 novembre '54) 2

954016   Burns, Colin A.: The manuscript of F's *Trois contes*. Ds: *FS*, VIII ('54) 297–325

954017   Camerino, A.: Dallo sciocchezzaio di F'. Ds: *La Fiera Letteraria* (5 dicembre '54) 5. (Sur *Bouvard et Pécuchet*.)

954018   Caye, Marc: A la recherche de M. Homais. Sur les travaux récents. Ds: *Revue d'Histoire de la Pharmacie*, 42e année, 143 (décembre '54) 382–385

954019   Clamens, Pierre A.: 'D'un mot mis en sa place'. Etude sur le mot juste dans *Madame Bovary*. Ds: *RR*, XLV ('54) 45–54

954020   Colonna, P.: F' et Michelet écrivaient-ils des vers? Ds: *VL*, 23 (février '54) 66–71. (Sur quelques vers dans la prose des deux écrivains.)

Duhamel, Georges: F'. Voir 943011

954021   Dumesnil, René: Le romancier et ses modèles. L'énigme de *Madame Bovary*. Ds: *Le Monde* (20 juillet '54) 7

Dupuy, Aimé: CR de M.-J. Durry: *F' et ses projets inédits*. Voir 950033

Dupuy, Aimé: En marge de *Salammbô*. Le Voyage de F' en Algérie et Tunisie. Voir 953037

954022   Edel, Leon: The two F's. Ds: *Nation*, CLXXVIII ('54) 861–862

954023   Finot, André: F' normand ou champenois? Ds: *Les Amis de F'*, 5 ('54) 24–27

Frank, J.: CR de P. Spencer: *F'. A biography*. Voir 952031

954024 Friéderich, Jean-E.: Ascendance et descendance de Véronique-Delphine Couturier. Ds: *Les Amis de F'*, 5 ('54) 28–31. (Sur les origines de *Madame Bovary*.)

954025 Guggenheim, Susanna: F' nei *Diari* di F. Kafka. Ds: *La Littérature moderne* (juillet–août '54) 457–458

954026 Günther, Hans F. K.: Das Urbild von F's Madame Arnoux. Ds: *Archiv für das Studium der Neueren Sprachen*, 190 ('54) 32–61

954027 Haloche, Maurice: F' critique littéraire. Ds: *Les Amis de F'*, 5 ('(4) 40–44

Henriot, Emile: F' et ses amis. CR d'A. Albalat: *F' et ses amis*. Voir 927017

Henriot, Emile: F' et *La Tentation de Saint Antoine*. Voir 941011

Henriot, Emile: F' et les *Trois contes*. Voir 936110

Henriot, Emile: Les dessous personnels de *L'Education sentimentale*. Voir 930040

Henriot, Emile: F' devant Dieu. CR de H. Guillemin: *F' devant la vie et devant Dieu*. Voir 939017

Henriot, Emile: Du nouveau sur *Madame Bovary*. CR de G. Leleu: *Madame Bovary*. Ebauches et fragments inédits (voir 936006) et de J. Pommier et G. Leleu: Du nouveau sur *Madame Bovary*. (voir 947035 et 947046)

Henriot, Emile: F' et l'impersonnalité. CR de R. Dumesnil: *F'. L'homme et l'œuvre*. Voir 932024

Henriot, Emile: Onze cents lettres de F'. Voir 953009

Henriot, Emile: Les excuses de Madame Bovary. CR de L. Larguier: *La chère Emma Bovary*. Voir 942016

Henriot, Emile: Mérimée, Du Camp, F'. CR de M. Parturier: *Autour de Mérimée*. Voir 931047

954028 Herval, René: Du nouveau sur *Madame Bovary*. Ds: *Les Amis de F'*, 5 ('54) 2–24. Aussi ds: *La Dépêche du Pays de Bray* (27 mai '54). (Conférence du 20 décembre 1953 intitulée *Propos hérétiques sur 'Madame Bovary'. Sur les origines du roman. Yonville n'est pas Ry.*)

954029   — Morisset, Maurice: Propos hérétiques sur *Madame Bovary*. Ds: *Les Amis de F'*, 5 ('54) 67–68

954030   — Pommier, Jean: En marge de *Madame Bovary*. Ds: *Les Amis de F'*, 6 ('55) 35–38

Jaloux, Edmond: Lecture de *L'Education sentimentale*. Voir 943017

954031   Kazin, Alfred: Anger of F'. Ds: *New Yorker*, XXX (11 September '54) 145–151

954032   Leleu, Gabrielle: La Mort de Madame Bovary. Ds: *Annales de Normandie* (mai '54) 175–179

954033   — XY: CR. Ds: *Les Amis de F'*, 6 ('55) 52–53

954034   Levaillant, Maurice et Vivienne, Marc: La dernière lettre de F' à Louise Colet. Ds: *Revue des deux mondes* (1er juillet '54) 139–145. Aussi ds: *Les Amis de F'*, 6 ('55) 30–31

954035   Levallois, J.: F' à Rouen et à Croisset. Ds: *Les Amis de F'*, 5 ('54) 37–39

954036   Mason, Germaine: Les deux clairs de lune de *Madame Bovary*. Ds: *FS*, VIII (July '54) 250–261

954037   Mayer, H.: *Madame Bovary*. Ds: *SF* ('54) 880–896. Repris sous le titre 'Un chef d'œuvre du réalisme épique'. Ds: *Europe*, 137 (juin '57) 31–44. Aussi ds: H. Mayer: *Deutsche Literatur und Weltliteratur*. Berlin, '57, 465–482

Mazeraud, M. J.: F' et la Champagne. Voir 953051

Morisset, Maurice: Propos hérétiques sur *Madame Bovary*. CR de R. Herval: Du nouveau sur *Madame Bovary*. Voir 954029

954038   Morisset, Maurice: Conférence de Marie-Jeanne Durry. Ds: *Paris-Normandie* (20 décembre '54) 4. Aussi ds: *Les Amis de F'*, 6 ('55) 49–50

954039   Naaman, Antoine: *Madame Bovary*. Conception et réalisation. Ds: *Ecrivains français* (Le Caire) (juin '54) 20–37

954040   Pontalis, J.-B.: La maladie de F'. Ds: *Les Temps modernes*, 100 (mars '54) 1649–1659; 101 (avril '54) 1889–1902

954041   Rat, Maurice: Est-il vrai que Madame Bovary n'est pas Madame Delamare? Ds: *FL*, 440 (25 septembre '54) 2

954042   Rat, Maurice: Avant d'être F', Emma Bovary fut bien, pour une part, Mme Schlésinger et Mme Pradier. Ds: *FL*, 440 (25 septembre '54) 2

954043   Reuillard, Gabriel: F' vu par G. Duhamel. Ds: *Paris-Normandie* (31 décembre '54) 6. Aussi ds: *Les Amis de F'*, 6 ('55) 28–30

Reuillard, Gabriel: Le Pensum de F'. Voir 953057

954044   Richard, Jean-Pierre: La création de la forme chez F'. Ds: J.-P. Richard: *Littérature et sensation*. Préface de Georges Poulet. Ps: Editions du Seuil, '54, 117–219

Serini, P.: La vendetta di Homais. Voir 953010

954045   Shattuck, Roger: Priest of style. Ds: *Saturday Review*, XXXVII (20 February '54) 23 et seq.

954046   Spencer, Philip: New light on F's youth. Ds: *FS*, VIII (April '54) 97–108. Traduit par G. Bosquet sous le titre 'Du nouveau sur la jeunesse de F' '. Ds: *Les Amis de F'*, 7 ('55) 33–42. (Sur F' et la famille Collier.)

945047   — XY: CR. Ds: *Les Amis de F'*, 6 ('55) 53–54

954048   Spencer, Philip: F's enigma. Ds: *New Republic*, CXXX ('54) 17

954049   Steisel, Marie-Georgette: La phrase de F' étudiée dans *Salammbô*. Ds: *State University of Iowa Studies*, 430; Aims and Progress of Research, 83 ('54) 216. (Thèse, PhD. February '52.)

Toutain-Revel, Jacques: CR de la *Correspondance* de F'. Voir 953012

Trilling, Lionel: F'. Voir 953064

954050   Turnell, Martin: F' as letter-writer. Ds: *Commonweal*, LXI (19 November '54) 189–192

954051   Vaultier, R.: La médecine dans *Madame Bovary*. Ds: *La Presse médicale* (26 mai '54) 823–826

954052   XY: Biographie des familles Rivoire, Lapierre et Brainne. Ds: *Les Amis de F'*, 5 ('54) 65–66

954053   XY: F' et les éditions de ses œuvres *Madame Bovary et Salammbô*. Ds: *Quo Vadis*, 7e année (juillet–août–septembre '54). Aussi ds: *Les Amis de F'*, 7 ('55) 47–49

Editions

955001   *Le Candidat.* Introduction de S. Grand. Ps: Les Belles Lectures, '55.

955002   *Education sentimentale.* Préface et notes par Pierre de Boisdeffre. Ps: Delmas, '55. 495p.

955003   *Madame Bovary.* Edition établie et accompagnée d'une iconographie par René Dumesnil. Ps: Club des Libraires de France, '55. 389p.

955004   Voltaire jugé par F'. Publié par Theodore Besterman. Ds: *Travaux sur Voltaire et le Dix-huitième siècle,* I ('55) 133–158. (Les observations de F' sur *L'Essai sur les mœurs* de Voltaire.)

Correspondance

La dernière lettre de F' à Louise Colet. Voir 954034

Correspondance à Mme Brainne. Voir 954009

955005   Une lettre inédite de F' à Bouilhet. Présentée par Albert Kies. Ds: *RHLF,* LV (janvier–mars '55) 57–61. (Une lettre de juin 1863.)

955006   Deux lettres inédites de F'. Ds: *Les Amis de F',* 7 ('55) 44–45

Critique

Bart, Benjamin F.: F's *Correspondence.* CR de la *Correspondance* de F': Supplément. Voir 953015

955007   Bauer, H. C.: Seasoned to taste. *Bouvard and Pécuchet.* Ds: *Wilson Library Bulletin,* XXX (October '55) 102

955008   Billy, André: Forges-les-Eaux contre Ry. Ds: *FL,* 476 (4 juin '55) 2

955009   Bosquet, Gaston: Un document sur Achille-Cléophas F', père. Ds: *Les Amis de F',* 6 ('55) 38. (Sur son Exemption de service militaire.)

955010   Burns, C. A.: A disciple of F'. Some unpublished letters of Henry Céard. Ds: *MLR,* L ('55) 142–146. (Sur l'influence de F' sur Henry Céard.)

955011   Céard, Henry et Caldain, Jean de: Le Dîner Trap. F' et Huysmans. Ds: *Les Amis de F'*, 6 ('55) 16–20. Déjà ds: *La Revue Hebdomadaire* (7 novembre 1908)

         Cecchi, E.: Nuove lettere di F'. CR de la *Correspondance de F'*. Voir 953016

         Cogny, Pierre: CR de J. Suffel: *F'*. Voir 958056

955012   Crouzet, Michel: F' a-t-il démarqué Balzac? Ds: *RHLF*, LV (octobre–décembre '55) 499–500. (Sur *La Peau de chagrin* de Balzac et *L'Education sentimentale*.)

955013   De Graaf, Daniel A.: Verlaine, F', Rimbaud. Ds: *Neophilologus*, 39 (1er octobre '55) 308–310. (Sur la critique de *Madame Bovary* dans *Un Voyage en France par un français* de Verlaine.)

955014   Dumesnil, René: F'. Ds: R. Dumesnil: *Le réalisme et le naturalisme*. Ps: Del Duca de Gigord, '55, 79–104

         Dupuy, Aimé: En marge de *Salammbô*. Voir 953037

955015   Falco, G.: Cento anni or sono F' componeva *Madame Bovary*. Ds: *Il Mattino* (9 dicembre '55) 3

         Finot, André: Essais de Clinique Littéraire. Les Amis de F'. Ernest Feydeau. Voir 952011

955016   Galérant, Dr.: Le Docteur Achille-Cléophas F'. Ds: *Les Amis de F'*, 7 ('55) 25–32

955017   Haloche, Maurice: Victor Hugo vu par F'. Ds: *Les Amis de F'*, 6 ('55) 25–28

955018   Herval, René: Les origines de *Madame Bovary*. Ds: *Etudes Normandes*, XIV, 45 ('55) 109–132

955019   — Leleu, Gabrielle: CR. Ds: *Annales de Normandie* (mai '55) 205–211

955020   — Herval, René: Réponse. Ds: *Annales de Normandie*, 5e année, 3–4 (octobre–décembre '55) 323–324

955021   — Lacour, José-André et Colin, Gerty: Querelle des normands pour une ombre. Emma Bovary n'appartient qu'à F'. Ds: *Arts* (6 juillet '55) 1, 7

955022 — Etienne, René: A propos des origines de *Madame Bovary*. Ds: *Etudes Normandes*, XVIII (1er trimestre '56) 206

955023 Hoy, Camilla: The relation of the *Notes de Voyage* to *Salammbô* and *Hérodias*. Ds: *DA* ('55) 266

955024 Ivachenko, A. F.: *F'. Iz istorii ryealisma vo frantsii*. Moscou: Akademia Nauk URSS, '55. 491p.

Jacobs, Alphonse: Datation des lettres de F'. Voir 954010

955025 Lacour, José-André et Colin, Gerty: Ry contre Forges-les-Eaux. Ds: *Arts* (29 juin '55) 1, 6

Lacour, José-André et Colin, Gerty: Querelle des normands pour une ombre. CR de R. Herval: Les origines de *Madame Bovary*. Voir 955020

Leleu, Gabrielle: CR de R. Herval: Les origines de *Madame Bovary*. Voir 955019

Levaillant, Maurice et Vivienne, Marc: La dernière lettre de F' à Louise Colet. Voir 954034

955026 Lugli, Vittorio: F' interdetto e confuso. Ds: *Il Resto del Carlino* (28 luglio '55). Aussi ds: V. Lugli: *Bovary italiane*. Roma: Salvatore Sciascia Editore, '59, 33–39

Lugli, Vittorio: Gli umori di F'. Voir 951040

955027 Lugli, Vittorio: *Bouvard et Pécuchet*. Ds: *Il Resto del Carlino* (26 ottobre '55). Aussi ds: *L'Osservatore* (26 novembre '56) , sous le titre: 'Due Amici'.

955028 Maranini-Balconi, Lorenza: *La Légende de Saint Julien l'Hospitalier*. Ds: *Les Amis de F'*, 7 ('55) 2–15

Maranini (-Balconi), Lorenza: *Novembre* di F'. Voir 952020

955029 Montale, E.: La casa di F'. Ds: *Corriere della Sera* (1 settembre '55)

Morriset, Maurice: Conférence de Marie-Jeanne Durry. Voir 954038

955030 Nicolle, Charles: Carthage et Tunis. Ds: *Les Amis de F'*, 6 ('55) 33

Pichois, Claude: CR de la *Correspondance* de F'. Supplément. Voir 953017

Pommier, Jean: La création littéraire chez F'. Voir 946038

Pommier, Jean: *Madame Bovary*. Etude de texte. Voir 947042

Pommier, Jean: En marge de *Madame Bovary*. CR de R. Herval: Du nouveau sur *Madame Bovary*. Voir 954030

Rat, Maurice: Comment F', à la Marsa, découvrit la fille d'Hamilcar. CR d'A. Dupuy: En marge de *Salammbô*. Voir 953038

955031   Reizov, B. G.: *Tvorchstvo F'*. Moscou: Gosudarstvyennoye Izdatyel'stvo Khudozhestvyennoy Literatury, '55. 542p.

Reuillard, Gabriel: F' vu par Georges Duhamel. Voir 954043

Spencer, Philip: Du nouveau sur la jeunesse de F'. Voir 954046

955032   Steinhart-Lens, Helmut: F' et Madame Schlésinger. Ds: *Les Amis de F'*, 7 ('55) 43–44

955033   Tindall, W. Y.: (*Madame Bovary*.) Ds: W. Y. Tindall: *The Literary Symbol*. New York: Columbia University Press, '55, 73–76. (Sur les images et les symboles dans le roman.)

Trilling, Lionel: F's last testament. Voir 953064

955034   XY: La famille d'Eugène Delamare. Notice biographique. Ds: *Les Amis de F'*, 6 ('55) 39

XY: CR de G. Duhamel: *Refuges de la lecture*. Voir 944012

XY: CR de G. Leleu: La Mort de Madame Delamare (Bovary). Voir 954033

XY: CR de P. Spencer: New light on F's youth. Voir 954047

XY: CR d'A. Dupuy: En marge de *Salammbô*. Voir 953039

955035   XY: F' et les 'caluyaux' (ou 'caluyots'). Ds: *Les Amis de F'*, 7 ('55) 46–47. (Sur un poisson mentionné par F' dans ses *Notes de Voyage*.)

XY: F' et les éditions de ses œuvres *Madame Bovary* et *Salammbô*. Voir 954053

XY: CR d'E. Jaloux: F' et les réalistes. Voir 953047

955036   XY: Autour de *Madame Bovary*. Ds: *Les Amis de F'*, 7 ('55) 53

Editions

956001   *Education sentimentale.* Préface d'André Billy. Ps: Editions de la Bibliothèque mondiale, '56. 2 vols.

956002   *Education sentimentale.* Ps: Le Livre-Club du Libraire, '56. 541p.

956003   *Madame Bovary.* Ps: M. Gründ, '56. 2 vols: 194, 189p.

956004   *La Tentation de Saint Antoine.* Grenoble: Roussard, '56. 245p.

Correspondance

956005   Lettre inédite de F' à Feydeau. Ds: *Les Amis de F'*, 8 ('56) 48–49

            Correspondance de F' à Mme Brainne. Voir 954009

Critique

956006   Alègre, Jacques: L'Art de F', technique, art, science. Ds: *Technique, Art, Science. Revue de l'Enseignement technique* (décembre '56) 29–38

956007   Allason, B.: Gli ultimi anni di F'. Ds: *Il Giornale* (Napoli) (9 dicembre '56)

956008   Andrieu, Lucien: La Fiche signalétique de F'. Ds: *Les Amis de F'*, 9 ('56) 36–37

956009   Bart, Benjamin F.: *F's landscape descriptions.* Ann Arbor: Michigan University Press, '56. vii, 70p.

956010   — Clamens, Pierre A.: CR. Ds: *RR*, XLVIII ('57) 233–234

956011   — Shaw, Marjorie: CR. Ds: *MLR*, LIII ('58) 305–306

956012   — Spencer, Philip: CR. Ds: *FS*, XII ('58) 170–171

            Bellaunay, P.: CR de la *Correspondance* de F': Supplément. Voir 953018

956013   Besnier, Charles: 'Madame Bovary, c'est moi'. Ds: *Nouvelle Revue Pédagogique* (15 novembre '56) 3–4

956014   Blanchot, Edith: La maladie mortelle de F'. Ds: *Les Amis de F'*, 8 ('56) 51–54

Bonnerot, J.: La *Correspondance* de F': Supplément. Voir 953019

956015   Bourriau, Dr. R.: Le Radeau de la Méduse et F'. Ds: *Les Cahiers de l'Ouest* (novembre '56) 60–62

956016   Chaix-Ruy, J.: Cervantes, F', Pirandello et l'humorisme. Ds: *Bulletin de l'Institut Français en Espagne*, 90 (avril '56) 109–113. Traduit en italien ds: *Humanitas*, XII ('57) 611–618; 692–702

956017   Chevalley-Sabatier, Lucie: F' et sa sœur Caroline. Ds: *Les Amis de F'*, 8 ('56) 2–15; 9 ('56) 2–14

956018   Cigada, Sergio: Precisazione cronologica su alcuni scritti giovanili di F'. Ds: *Aevum*, XXX (marzo–aprile '56) 175–180

956019   Cigada, Sergio: La musa di F'. Ds: *Aevum*, XXX (luglio-agosto '56) 379–384

956020   Cigada, Sergio: Uno scritto autobiografico di F'. *Quidquid Volueris.* Ds: *Aevum*, XXX, 5–6 (settembre–dicembre '56) 505–524

956021   Dauner, L.: Poetic symbolism in *Madame Bovary*. Ds: *South Atlantic Quarterly*, LV ('56) 207–220

956022   De Graaf, Daniel A.: Mallarmé, tributaire de F'. Ds: *Neophilologus*, 40 ('56) 314–315. (Sur *Madame Bovary* et *Brise marine* de Mallarmé.)

956023   Dubuc, André: Pour le centenaire de *la Bovary*. Ds: *Les Amis de F'*, 9 ('56) 28–31

Dupuy, Aimé: En marge de *Salammbô*. Voir 953037

Etienne, René: A propos des origines de *Madame Bovary*. CR de R. Herval: Les origines de *Madame Bovary*. Voir 955022

956024   Gamberini, G.: Compie cent'anni il primo grande romanzo moderno. Ds: *Il Giornale* (Napoli) (31 dicembre '56). (Sur *Madame Bovary*.)

956025   Gibian, George: Love by the book. Pushkin, Stendhal, F'. Ds: *CL*, VIII ('56) 97–109. (Sur *Madame Bovary*.)

956026   Grenier, C.: The art of fiction. An interview with William Faulkner. Ds: *Accent*, XVI ('56) 167–171

956027   Haloche, Maurice: *La Tentation de Saint Antoine.* Ds: *Les Amis de F'*, 8 ('56) 15–22

956028   Harvey, L. E.: The ironic triumph of Rodolphe. Ds: *FR*, XXX ('56–57) 121–125

956029   Hemmings, F. W. J.: Zola, *Le Bien Public* et *Le Voltaire.* Ds: *RR*, XLVII ('56) 103–116. (Discussion d'un article de Zola sur *L'Education sentimentale.* Voir aussi l'article de Hemmings: 959021)

956030   Herval, René: Encore du nouveau sur *Madame Bovary.* Ds: *Etudes Normandes*, XIX (2e trimestre '56) 316–318

956031   Herval, René: Deux erreurs de dates à propos de *Madame Bovary.* Ds: *Les Amis de F'*, 8 ('56) 50–51

956032   Hopkinson, T.: Land of *Madame Bovary.* Ds: *Holiday*, XIX (January '56) 52 et seq.

956033   Jacobs, Alphonse: F' et George Sand. Reclassement de leur correspondance. Ds: *Bulletin du Bibliophile* ('56) 269–304

956034   Jacobs, Alphonse: G. Sand à Croisset et F' à Nohant. Ds: *Les Amis de F'*, 8 ('56) 23–33

956035   Jakovsky, Anatole: A propos du centenaire de *Madame Bovary.* F' ne faisait fumer que ses personnages favoris. Ds: *Revue des Tabacs* (printemps '56) 25–27

956036   Jeffroy, Pierre: Emma Bovary. Ds: *Paris-Match* (3 novembre '56)

956037   Klemperer, Victor: F'. Ds: V. Klemperer: *Geschichte der französischen Literatur im 19. und 20. Jahrhundert.* Berlin: VEB Deutscher Verlag der Wissenschaften, 56. Bd. I, 243–262

956038   Lambert, Pierre-Marie: F' et Huysmans au Château de Barbe-Bleue. Ds: *Le Bayou* (hiver '56) 253–258. (Sur *Par les champs et par les grèves.*)

956039   Laplane, M.-G.: Le problème de *Madame Bovary.* Ds: *Bulletin de l'Institut français en Espagne*, 94 (décembre '56) 259–262

956040   Lapp, John C.: Art and hallucination in F'. Ds: *FS*, X ('56) 322–334. Aussi ds: *F'.* Englewood Cliffs, New Jersey: Prentice Hall, 1964, 75–87, et ds: *'Madame*

Bovary' and the critics. A collection of essays edited by B. F. Bart. New York: New York University Press, 1966, 169–188

956041   Lemay, P.: Il y a cent ans. *Madame Bovary.* Ds: *Le Progrès Médical,* Supplément illustré (10 octobre '56) 354, 356

Lugli, Vittorio: Due amici. Voir 955027

956042   Lugli, Vittorio: Il centenario d'un libro illustre. *Madame Bovary.* Ds: *Il Resto del Carlino* (30 settembre '56) Aussi ds: V. Lugli: *Bovary italiane.* Roma: Salvatore Sciascia Editore, '59, 27–32

956043   Lyonnet, Bernard: La Pharmacie Homais. Ds: *Labo-Pharma,* 4e année, 34 (novembre '56) 49–53

956044   Martin, René-Marie: A propos du pied-bot d'Hippolyte. Ds: *Les Amis de F',* 9 ('56) 26–27

956045   Martin, René-Marie: L'activité du Musée F' de Rouen. Ds: *Les Amis de F',* 8 ('56) 46–48

956046   Maurois, André: *Madame Bovary* a cent ans. Ds: *Historia,* 120 ('56) 365–372

956047   Moreau, Pierre: F' et l'imparfait. Ds: *Droit et Liberté* (avril '56) 15–18

956048   Neveu, Raymond: Paul-Emile Botta. Ds: *Notre Vieux Lycée,* 93 ('56) 1–5

956049   Picard, Gilbert-Charles: F', Carthage et l'archéologie contemporaine. Ds: *La Revue de Paris,* LXIII (juin '56) 105–113. (Sur *Salammbô.*)

956050   Rat, Maurice: A celle qui l'aima la première, F', à 14 ans exprimait déjà sa haine des idées reçues. Ds: *FL* (21 janvier '56) 4

956051   Raya, G.: Il deserto di F'. Article de 1956 ds: G. Raya: *Ottocento letterario.* Padova: Antonio Milani, 1961, 241–251

956052   Raya, G.: F' sfollato. Article de 1956 ds: G. Raya: *Ottocento letterario.* Padova: Antonio Milani, 1961, 253–258

956053   Reuillard, Gabriel: Les amours de F'. Ds: *Les Amis de F'*, 8 ('56) 57–59. (Sur F' et Gertrude Collier.)

956054   Reuillard, Gabriel: F' à la radio. Ds: *Les Amis de F'*, 8 ('56) 56–57

956055   Reuillard, Gabriel: Gabriel Reuillard évoque à la radio F' et son œuvre. Ds: *Les Amis de F'*, 9 ('56) 34–36

956056   Schlötke-Schröer, Charlotte: Selbstaussage und Kultur-problematik im französischen Roman des 19. Jahrhun-derts. F', Stendhal. Ds: *Analekten zu einer Geschichte des literarischen Selbstporträts. Festgabe für Fritz Neubert.* Berlin, '56, 411–430

956057   Schmidt, Julius: Probleme des Stils. Neue Gesicht-spunkte aus einer Betrachtung von Balzac und F'. Ds: *ZFSL*, LXVII ('56–'57) 27–46

956058   Thorlby, Anthony: *F' and the art of realism.* Ldn: Bowes and Bowes, '56. 63p.

956059   — Shaw, Marjorie: CR. Ds: *MLR*, LII ('57) 630–631

956060   — Spencer, Philip: CR. Ds: *FS*, XI ('57) 363–364

956061   — XY: CR. Ds: *TLS* (12 April '57) 217–219

956062   Virolle, Roland: Explication de texte. Une page de *Madame Bovary.* 1er partie, ch. VIII. Ds: *L'Ecole. Second cycle et propédeutique*, 47e année ('55–'56) 18 (9 juin '56) 574–576

956063   XY: A la Salle Drouot, de précieux manuscrits et autographes de F' sont vendus. Ds: *Les Amis de F'*, 8 ('56) 55–56

Editions

957001   *Bouvard et Pécuchet*. Préface et notes de C. Haroche. Ps: Editeurs Français Réunis, '57. 398p.

957002   *Education sentimentale*. Verviers: Gérard et cie., '57. 501p.

957003   *Education sentimentale*. Histoire d'un jeune homme. Texte établi et présenté par Paul Vernière et annoté par Y. Lévy. Ps: Colin, '57. xxxiv, 483p.

957004   *Madame Bovary*. Verviers: Gérard et cie., '57. 512p.

957005   *Madame Bovary*. Postface de René Dumesnil. Ps: L. Mazenod, '57. 295p.

957006   *Madame Bovary*. Ps: Editions du Dauphin, '57. 367p.

957007   *Madame Bovary*. Présenté par Marie-Jeanne Durry. Ps: Le Club du Meilleur Livre, '57. xxx, 434p.

Correspondance

957008   *Premières Lettres à Louise Colet*. Frontispice de A. Alexeïeff. Illustrations de J. J. J. Rigal. Ps: Les Impénitents, '57. 71p.

Autour de Flaubert

957009   *Le centenaire de 'Madame Bovary'*. Catalogue de l'Exposition 'F' et *Madame Bovary*' organisée pour le centenaire de la publication du roman. Préface de J. Cain. Ps: Bibliothèque Nationale, '57. vi, 27p.

957010   — Seznec, Jean: CR. Ds: *FS*, XIII ('59) 280–281

957011   Repères biographiques. Ds: *Europe*, 138 (juin '57) 53–56

Critique

957012   Aarnes, Asborn: F' et le romantisme. Ds: *OL*, XII ('57) 129–145

957013   Alboreto, L.: *A proposito del rapporto vita-poesia in F'*. Vittoria Veneto: Tipografio del Seminario, '57. Aussi ds: *Atti dell'Istituto Veneto di Scienze, Lettere ed Arti*, 116 ('57—'58) 125–170

957014   Angioletti, Giovanni-Battista: Sulle orme della Bovary. Ds: G.-B. Angioletti: *L'anatra alla normana*. Milano: Fratelli Fabbri, '57, 45–50

957015   Baker, Denys Val: F' en Angleterre. Ds: *Les Amis de F'*, 10 ('57) 14–17

957016   Bandy, T. W.: The literary climate of Paris in 1857. Ds: *FR*, XXXI ('57) 192–196

957017   Bart, Benjamin F.: *Madame Bovary* after a century. Ds: *FR*, XXXI ('57) 203–210. Aussi ds: *'Madame Bovary' and the critics*. New York: New York University Press, 1966, 189–197

957018   Baudin, Jacques: Quand F' pleurait d'amour. Ds: *Lectures pour tous*, 43 (juillet '57) . (Sur le centenaire de *Madame Bovary*.)

957019   Bédé, Jean-Albert: Jules de Gaultier et Bovarysme. Ds: *Magazine of the Légion d'Honneur*, XXVIII ('57) 9–36

957020   Besnier, Charles: La petite histoire des lettres. Au pays de *Madame Bovary*. Ds: *Les Cahiers Français* (avril '57) 30–33

957021   Billy, André: F' collégien en révolte. Ds: *FL*, 592 (24 août '57) 2

957022   Billy, André: Delphine Delamare s'est-elle suicidée? Ds: *FL*, 597 (28 septembre '57) 2

957023   Blöcker, G.: F'. Ds: G. Blöcker: *Die neueren Wirklichkeiten*. Berlin: Argon Verlag, '57, 37–46

957024   Bloncourt, L.: *Madame Bovary* et l'Angleterre. Ds: *Les Amis de F'*, 11 ('57) 29–32

957025   Bo, Carlo: *La Signora Bovary* e *I Fiori del Male*. Ds: *La Stampa* (19 marzo '57) 3

957026   Borges, Jorge Luis: F' y suo destino ejemplar. Ds: J. L. Borges: *Discusión*. Buenos Aires: Emecé, '57, 145–150. Traduction française: F' et son destin exemplaire. Ds: J. L. Borges: *Discussion*. Ps: Gallimard, 1966, 124–130

957027   Borges, Jorge Luis: Vindicación de *Bouvard et Pécuchet*. Ds: J. L. Borges: *Discusión*. Buenos Aires: Emecé, '57, 137–143. Traduction française: Défense de *Bouvard et*

Pécuchet. Ds: J. L. Borges: *Discussion.* Ps: Gallimard, 1966, 115–123

957028 Bosquet, Gaston: Yonville-L'Abbaye est-il Forges? Ds: *Les Amis de F'*, 10 ('57) 12–14

957029 Bosquet, Gaston: Recherches sur quelques prototypes 'traditionnels' de *Madame Bovary.* Ds: *Les Amis de F'*, 11 ('57) 15–23. (Sur Eugène et Delphine Delamare, Stanislas Bottais, Louis Campion, les deux Jouanne et Thérain.)

957030 Bougnoux, J.-L.: (Sur Maupassant et F'.) Ds: *Echo de la mode*, 50 (15 décembre '57) 8–9. (Quatre lettres de F' à Maupassant.)

957031 Bouvier, J.: Cent ans après. La Bibliothèque Nationale réhabilite Baudelaire et F'. Ds: *NL* (19 décembre '57) 8

Bron, G.: CR de Marie-Jeanne Durry: *Madame Bovary.* Voir 957053

957032 Bruneau, Jean: *Madame Bovary* jugée par un 'fantôme de Trouville'. Ds: *RLC*, XXXI ('57) 277–279

957033 Buck, Stratton: For Emma Bovary. Ds: *SR*, LXV ('57) 551–564

957034 Camilucci, M.: Il misticismo estetico alla fonte della Bovary. Ds: *Ausonia*, 12, 5 (settembre–ottobre '57) 27–33

957035 Cassa Salvi, E.: La nemesi dell'amore in *Madame Bovary.* Ds: *Humanitas*, XII ('57) 946–958

957036 Cecchi, E.: Il centenario di *Madame Bovary.* Ds: *Corriere della Sera* (30 aprile '57)

Chaix-Ruy, J.: Cervantes, F', Pirandello. Voir 956016

957037 Cigada, Sergio: Chiose e frammenti su F'. Chateaubriand e *Un cœur simple.* Ds: *SF*, I ('57) 439–440

957038 Cigada, Sergio: Chiose e frammenti su F'. F' e De Sanctis. Ds: *SF*, I ('57) 440–442. (Sur *Madame Bovary* et *Giovinezza* de Francesco De Sanctis.)

957039 Cigada, Sergio: *Un decennio di critica flaubertiana, 1945–1955.* Istituto Lombardo di Scienze e Lettere. Rendiconti: Classe di Lettere (Milano) , 91 ('57) 623–687

957040 — Bart, Benjamin F.: CR. Ds: *MLQ*, XX ('59) 391–393

957041 — Spencer, Philip: CR. Ds: *FS*, XIV ('60) 78–79

957042 Cigada, Sergio: L'episodio del lebbroso in *Saint Julien l'Hospitalier* di F'. Ds: *Aevum*, XXXI ('57) 465–491

Clamens, Pierre A.: CR de B. F. Bart: *F's landscape descriptions.* Voir 956010

957043 Cottin, Madeleine: Quand eut lieu le procès de *Madame Bovary*. Ds: *NL* (19 décembre '57) 8. (Le 29 et non le 31 janvier 1857.)

957044 Dahl, Gudrun: F' avant *Madame Bovary*. Ds: *OL*, XII ('57) 146–170. (Sur l'œuvre de jeunesse de F'.)

957045 Dariosecq, L.: A propos de Loulou. Ds: *FR*, XXXI ('57–'58) 322–324

957046 Desprechins, Robert: Quelle est l'édition originale de *Madame Bovary*? Ds: *LE*, 11 (juillet '57) 258–259; 13–14 ('58) 68

957047 Dubuc, André: L'âme de Rouen dans *Madame Bovary*. Ds: *Les Amis de F'*, 11 ('57) 2–14

957048 Dumesnil, René: Le centenaire de *Madame Bovary*. Ds: *Le Monde* (6 février '57) 9

957049 Dumesnil, René: *Madame Bovary*, le roman des grandes œuvres. Ds: *NL* (25 avril '57) 1, 4

957050 Dumesnil, René: F' et les musiciens. A propos du centenaire de *Madame Bovary*. Ds: *Conjonction*, 65–66 ('57) 11–13

957051 Dupuy, Aimé: Pour le centenaire de *Madame Bovary*, une nouvelle version du roman de F' et 'mœurs de Province' ou 'mœurs de campagne'? Ds: *La Presse Médicale* (3 avril, 5 mai '57) 633; 1001–1002

957052 Durry, Marie-Jeanne: *Madame Bovary*. Ds: *Mercure*, 329 ('57) 649–659

957053 — Bron, G.: CR. Ds: *Europe*, 138 (juin '57) 147–149

957054 Galante Garrone, A.: Un libro e una sentenza. Ds: *La Stampa* (24 maggio '57)

957055   Galérant, Dr.: Une paisible expédition en Egypte au siècle dernier. Ds: *Archives médico-chirurgicales de Normandie*, 64 (janvier '57) 47–58. (Sur le voyage de F' et de Du Camp.)

957056   Giraud, Raymond: *The unheroic hero in the novels of Stendhal, Balzac and F'*. New Brunswick: Rutgers University Press, '57. iv, 240p.

957057   — Moore, W. G.: CR. Ds: *RHLF*, LVII ('57) 235

957058   — Sachs, Murray: CR. Ds: *RR*, XLVIII ('57) 311–312

957059   — Chadbourne, R. M.: CR. Ds: *FR*, XXXII ('58–'59) 202–203

957060   — Clark, John G.: CR. Ds: *MLR*, LIII ('58) 440–441

957061   — Spencer, Philip: CR. Ds: *FS*, XII ('58) 77–78

957062   Girodon, J.: Eça de Quieróz, F' et A. France. Ds: *Bulletin des Etudes portugaises et de l'Institut français au Portugal*, ('57) 152–207

957063   Guillemin, Henri: L'autre F'. Ds: *Journal de Genève* (5 janvier '57)

957064   Guillemin, Henri: F' adolescent, avant Rimbaud, a vécu sa 'saison en enfer'. Ds: *FL* (23 mars '57) 5

957065   Guillemin, Henri: Pour le centenaire de *Madame Bovary*. F' tel qu'il fut. Ds: *Les Annales-Conférencia* (décembre '57) 23–34

957066   Guillemin, Henri: Monsieur F'. Ds: *L'Express* (17 mai '57)

957067   Haloche, Maurice: A propos de Louise Colet. Ds: *Les Amis de F'*, 10 ('57) 11 . (Sur Victor Hugo, Louise Colet et F'.)

957068   Haloche, Maurice: Ernest Renan vu par F'... et quelques autres. Ds: *Les Amis de F'*, 11 ('57) 32–35

957069   Hamelin, Jacques: F' et ses juges. Ds: *La Vie Judiciaire* (11–16 février '57) 1

957070   Haroche, Charles: Réflexions sur l'héritage flaubertien. Ds: *Europe*, 138 (juin '57) 45–53

957071 Hatzfeld, Helmut: Les contributions importantes à l'élucidation artistique des *Fleurs du Mal* et de *Madame Bovary* depuis 1950. Ds: *OL*, XII ('57) 244–254

957072 Hausenstein, W.: Sternbild des Geistes: *Madame Bovary, Les Fleurs du Mal, Nachsommer*. Ds: *Gegenwart*, 12 ('57) 562–563

957073 Hébert de la Rousselière: Centenaire de *Madame Bovary*. Sa création. Ds: *Mémoires de l'Académie des Sciences, Belles-Lettres et Arts d'Angers*, 8e série, 1 ('57) 124–137

957074 Henriot, Emile: Le centenaire de *Madame Bovary*. Ds: *Historia*, '21 ('57) 373–378

957075 Herval, René: L'autre *Madame Bovary*. Ds: *Artaban* (19 avril '57)

957076 Herval, René: *Les véritables origines de 'Madame Bovary'*. Préface de Pierre Cogny. Ps: Nizet, '57. x, 198p.

957077 — Herval, René: Pourquoi j'ai écrit *Les véritables origines de 'Madame Bovary'*. Ds: *CN*, 3e année, 7 ('57) 333–339

957078 — Le Pauvremoyne, Jehan: CR. Ds: *Paris-Normandie* (24 janvier '58) 9

957079 — Sédille, P.: CR. Ds: *Etudes Normandes*, 26–29 ('58) 245–246

957080 Iselt, Doris: Quelle a été la place de *Madame Bovary* dans la littérature de l'époque et quelle a été l'influence du roman sur cette littérature? Ds: *Les Amis de F'*, 10 ('57) 34–35

957081 Jacobs, Alphonse: F' et George Sand. Documents inédits. Ds: *RHLF*, LVII (janvier–mars '57) 19–30

957082 Jeanne, René: F', *Madame Bovary* et le cinéma. Ds: *Levende Talen* ('57) 483–485

957083 Labracherie, R.: L'élève F' au Collège Royal de Rouen (1838). Ds: *Les Amis de F'*, 10 ('57) 2–10. Aussi ds: *Notre Vieux Lycée*, 98 (octobre '57) 192–203

957084 Lajon, R.-G.: Littérature et discographie. Ds: *L'Education Nationale* (20 juin '57) 19–20. (Sur *Madame Bovary*.)

957085 Lambiotte, Auguste: Les exemplaires en grand papier de *Madame Bovary*. Ds: *LE*, 12 ('57) 317–334; 16 ('58) 257–258. Aussi ds: *Les Amis de F'*, 13 ('58) 23–36

957086 Laulan, Robert: La lèpre, thème d'épouvante dans quelques œuvres littéraires. Ds: *La Presse médicale* (3 août '57) 1365. (Sur la lèpre dans *Saint Julien l'Hospitalier*.)

957087 Laulan, Robert: Eugène Delamare, officier de santé, modèle de Charles Bovary. Ds: *La Presse Médicale* (28 décembre '57) 2233–2234

957088 Le Pauvremoyne, Jehan: Madame Bovary a eu cent ans. Ds: *Paris-Normandie* (23 septembre '57) 1, 2; (24 septembre '57) 1, 2; (25 septembre '57) 1, 2; (26 septembre '57) 1, 11; (27 septembre '57) 1, 2; (28 septembre '57) 1, 12. (Propos de Gabrielle Leleu et de Georges Dubosc.)

957089 Leroy, Paul: Dans la maison natale de F', *Madame Bovary*, un siècle après sa grande révélation littéraire. Ds: *Liberté-Dimanche* (6 janvier '57). Aussi ds: *Les Amis de F'*, 10 ('57) 69–71

957090 Letellier, L.: Lettres inédites de F' et de Bouilhet à Jean Clogenson. Ds: *RHLF*, LVII ('57) 10–18. (Sur *Salammbô*.)

957091 Levaillant, M.: Le centenaire de *Madame Bovary*. Poésie et réalisme. Ds: *Revue des deux mondes* (15 avril '57) 623–642

Lubbock, Percy: F'. Voir 921087

957092 Lugli, Vittorio: Bovary italiane. Ds: *Il Resto del Carlino* (1 maggio '57). Aussi ds: V. Lugli: *Bovary italiane*. Roma: Salvatore Sciascia Editore, '59, 19–25

957093 Mason, Germaine-Marie: L'Exploitation artistique d'une source lyrique chez F'. Ds: *RHLF*, LVII ('57) 31–44

957094 Mauriac, François: F' le mystique. Ds: *FL* (11 mai '57) 1, 4

957095 Maurois, André: *Madame Bovary*. Ds: A. Maurois: *Lecture, mon doux plaisir*. Ps: Fayard, '57, 219–238

Mayer, Hans: Un chef d'œuvre du réalisme épique. Voir 954037

957096   Mercier, Vivian: The limitations of F'. Ds: *KR*, XIX ('57) 400–417

957097   Mersch, Claudine: Relisons *Madame Bovary*. Ds: *RLV*, XXIII ('57) 451–471

957098   — XY: CR. Ds: *Les Amis de F'*, 15 ('59) 66–67

Moore, W.G.: CR de R. Giraud: *The unheroic hero in the novels of Stendhal, Balzac and F'*. Voir 957057

957099   Moreau, Pierre: L'Art de la composition de *Madame Bovary*. Ds: *OL*, XII ('57) 171–178

957100   Moreau, Pierre: Etat présent de notre connaissance de F'. Ds: *IL*, IX ('57) 93–105. Aussi ds: Charles B. Osburn: *The present state of French Studies.* A collection of research reviews. Metuchen, New Jersey: Scarecrow Press, 1971, 543–567

957101   Morisset, Maurice: F' était Chevalier de la Légion d'Honneur. Ds: *Paris-Normandie* (5–6 janvier '57) 3

957102   Morisset, Maurice: Une centenaire qui se porte bien. Emma Bovary, née Rouault. Ds: *Paris-Normandie* (3 janvier '57) 1

957103   Mühlberger, J.: Der Roman der Dummheit. Ds: *Welt und Wort*, 12 ('57) 366

957104   Musset, René: F', René-Just Haüy et Cuvier. Ds: *Annales de Normandie*, 7 ('57) 224–225

957105   Nelson, R. J.: *Madame Bovary* as tragedy. Ds: *MLQ*, XVIII ('57) 323–330

957106   Noyon, Michel: Quelle a été la place de *Madame Bovary* dans la littérature de l'époque et quelle a été l'influence du roman sur cette littérature? Ds: *Les Amis de F'*, 10 ('57) 32–34

Pancrazi, P.: *La Signora Bovary* ottant'anni dopo. Voir 936114

957107   Parvi, Jerzy: Na marginesie stulecia pani *Madame Bovary*. Ds: *KN* ('57) 230–241

957108   Peaucelle, François: Quelle a été la place de *Madame Bovary* dans la littérature de l'époque et quelle a été l'influence du roman sur cette littérature? Ds: *Les Amis de F'*, 10 ('57) 27–31

957109   Pellegrin, René: Il y a cent ans, F' préparait *Salammbô.* Ds: *Artaban* (6 décembre '57)

Phillips, E. M.: CR de *Bouvard and Pécuchet.* Voir 954003

Phillips, E. M.: CR de *The Dictionary of Accepted Ideas.* Voir 954005

957110   Porquerol, Elisabeth: (Sur le centenaire de *Madame Bovary.*) Ds: *Guilde du Livre* (Lausanne), XXII, 3 (mars '57) 84–85

957111   Porter, Ellis: F's social attitudes in relation to his artistic theories. Ds: *DA*, XVII ('57) 1558. (Thèse, Illinois.)

957112   Ramsey, J. A.: The literary doctrines of F', Maupassant and Zola. A comparative study. Ds: *DA*, XVII ('57) 364–365. (Thèse, Illinois.)

957113   Rat, Maurice: Les cent ans de *Madame Bovary.* Ds: *L'Education Nationale*, XIII (3 janvier '57) 16–17

Rat, Maurice: M. Homais. CR de G. Venzac: *Au pays de 'Madame Bovary'.* Voir 957139

957114   Reuillard, Gabriel: L' Exposition Homais à La Salpétrière. Ds: *Paris-Normandie* (3 octobre '57). Aussi ds: *Les Amis de F'*, 12 ('58) 46

957115   Reuillard, Gabriel: Le labeur exemplaire d'un grand artiste. Ds: *Les Amis de F'*, 10 ('57) 23–25

957116   Reuillard, Gabriel: Don Amoros, héros flaubertien. Ds: *Paris-Normandie* (13 septembre '57). Aussi ds: *Les Amis de F'*, 12 ('58) 48

957117   Ricaud, Le Président: Le Procès de *Madame Bovary.* Ds: *Les Amis de F'*, 11 ('57) 25–28

957118   Rinehart, K.: The structure of *Madame Bovary.* Ds: *FR*, XXI ('57–'58) 300–306

957119   Rouault de la Vigne, René: L'inventaire après décès de la bibliothèque de F'. Ds: *Revue des Sociétés Savantes de la Haute-Normandie*, 7 ('57) 73–84

957120   — XY: CR. Ds: *Paris-Normandie* (21 mars '58)

957121   — XY: CR. Ds: *Liberté-Dimanche* (23 mars '58)

Sachs, Murray: CR de R. Giraud: *The unheroic hero in the novels of Stendhal, Balzac and F'*. Voir 957058

Sédille, Pierre: CR de G. Venzac: *Au pays de 'Madame Bovary'*. Voir 957140

957122   Seckrecka, M.: F' d'après sa nouvelle Correspondance. Ds: *Roczniki Humanistyczne*, VI, 3 ('57) 51–94

957123   Shaw, Marjorie: Further notes on F's realism. Ds: *MLR*, LII ('57) 177–186

Shaw, Marjorie: CR d'A. Thorlby: *F' and the art of realism*. Voir 956059

957124   Simon, Pierre-Henri: A propos d'un centenaire. *Madame Bovary*. Ds: *L'Anneau d'or*, 74 (mars–avril '57) 202–207

Spencer, Philip: CR d'A. Thorlby: *F' and the art of realism*. Voir 956060

957125   Stanford, Derek: *Madame Bovary*. Ds: *The Dumasian*, 6 (décembre '57) 7–12

957126   Steegmuller, Francis: F' the decorator. Ds: *House and Garden*, CXI (April '57) 38 et seq.

957127   Stern, J. P. M.: *Effi Briest, Madame Bovary, Anna Karenina*. Ds: *MLR*, LII ('57) 365–375

957128   Stoltzfus, B. F.: The neurotic love of Frédéric Moreau. Ds: *FR*, XXXI ('57–'58) 509–511

957129   Suffel, Jacques: F' savait aussi écrire les lettres de rupture amoureuse. Un inédit important: premier adieu à Louise Colet. Ds: *FL* (21 décembre '57) 5

957130   Teller, Louis: Fontane in F's Fußtapfen. Ds: *RLV*, XXIII ('57) 147–160; 231–255

957131   Todd, Oliver: No orchids for Madame Bovary. Ds: *The Listener* (7 February '57) 226–227

957132   Toutain-Revel, Jacques: En marge de *Madame Bovary*. Les tableaux de Joseph Court. Ds: *Les Amis de F'*, 11 ('57) 36–39

957133 Toutain-Revel, Jacques: En marge de *Salammbô*. Ds: *Les Amis de F'*, 11 ('57) 39–40

957134 Treich, Leon: Ce que Huysmans pensait de F'. Ds: *Le Soir* (Bruxelles) (12 avril '57). Aussi ds: *Les Amis de F'*, 11 ('57) 42. (Sur les lettres inédites de J.-K. Huysmans à Camille Lemonnier.)

957135 Ullmann, Stephen: Reported speech and internal monologue in F'. Ds: S. Ullmann: *Style in the French Novel*. Cambridge: Cambridge University Press, '57, 94–120

Valéry, Paul: La Tentation de (Saint) F'. Voir 942020

957136 Vallery-Radot, Pierre: Un écrivain surmené. Quatre ans (1873–1876) de la vie de F'. Ds: *La Presse Médicale* (26 janvier '57) 173–174

957137 Veillé, R.: *Madame Bovary* a cent ans. A propos du réalisme de F'. Ds: *Europe*, 137 (juin '57) 3–31

957138 Venzac, Géraud: *Au pays de 'Madame Bovary'*. Ps: La Palatine , '57. 222p.

957139 — Rat, Maurice: CR. Ds: *FL*, 590 (10 août '57) 11

957140 — Sédille, Pierre: CR. Ds: *Etudes Normandes* (3e trimestre '57) 359–360

957141 — XY: CR. Ds: *Les Amis de F'*, 12 ('58) 66

957142 Venzac, Géraud: Un épisode nouveau de la guerre de *Madame Bovary*. Ds: *L'Enseignement Chrétien*, LXX (juin–juillet '57) 446–448

— Rat, Maurice: CR. Voir 957139

957143 Vial, André-Marc: De *Volupté* à *L'Education sentimentale*. Vie et avatars de thèmes romanesques. Ds: *RHLF*, LVII ('57) 45–65; 178–195. Aussi ds: A.-M. Vial: *Faits et significations*. Ps: Nizet, 1973, 109–147. Aussi ds: *Der französische Roman im 19. Jahrhundert*. Herausgegeben von Winfried Engler. Darmstadt: Wissenschaftliche Buchgesellschaft, 1976, 165–220

957144 West, Constance B.: F' et Harriet Collier. Première rencontre à Trouville. Documents inédits. Ds: *RHLF*, LVII ('57) 1–9. (Sur F' et *Mémoires d'un fou*.)

957145   Wurmser, A.: Emma devant ses juges. Ds: *Les Lettres
         Françaises* (7 février '57) 2. (Sur le procès de *Madame
         Bovary.*)

957146   XY: Les manuscrits F' à la Bibliothèque Historique de la
         Ville de Paris. Ds: *Les Amis de F'*, 10 ('57) 36–43

957147   XY: Les ventes des manuscrits F'. Ds: *Les Amis de F'*,
         10 ('57) 43–45

957148   XY: Les ventes des manuscrits F'. Ds: *Les Amis de F'*,
         10 ('57) 44–46

957149   XY: L'Exposition du centenaire de la parution de *Madame
         Bovary.* Ds: *Les Amis de F'*, 10 ('57) 65–68

Editions

958001   *Dictionnaire des idées reçues.* Ps: Le Club Français du Livre, '58. 286p. (Avec 71 dessins de Chaval.)

958002   *L'Education sentimentale.* Edition établie et accompagnée d'une iconographie par René Dumesnil. Ps: Club des Libraires de France, '58. 563p.

958003   *Madame Bovary.* Ps: R. Laffont, '58. 382p.

958004   *La Queue de la poire de la boule de Monseigneur.* Pochade rouennaise avec la collaboration et les illustrations de Louis Bouilhet. Ps: Nizet, '58. 51p; 24 fac-sim.

958005   — Spaziani, M.: CR. Ds: *SF*, IV ('60) 173

Correspondance

958006   *Briefe an George Sand.* Weimar: G. Kiepenheuer Verlag, '58.

Critique

958007   Barron, Jean: La première *Education sentimentale* de F'. Ds: *Les Amis de F'*, 12 ('58) 3–18

958008   Bersani, Leo: The narrator and the bourgeois community in *Madame Bovary.* Ds: *FR*, XXXII ('58–'59) 527–533

958009   Billy, André: F' et les frères de Goncourt. Ds: *Les Amis de F'*, 13 ('58) 13–14; 14 ('59) 12–26; 15 ('59) 27–45; 16 ('60) 35–53

958010   Billy, André: F' était aussi champenois. Ds: *FL* (12 juillet '58) 2

958011   Bosquet, Gaston: En marge de *Madame Bovary.* Delphine Delamare s'est-elle suicidée? Ds: *La Presse Médicale* (30 avril '58) 777–778

958012   Bosquet, Gaston: Les variantes de *Madame Bovary* permettraient-elles d'identifier les lieux et les personnages? Ds: *Les Amis de F'*, 12 ('58) 23–32

958013   Bosquet, Gaston: Pèlerinage au pays de *Madame Bovary.* Ds: *Cahiers Pédagogiques pour l'Enseignement du second degré*, 13e année ('57–'58) 5 (1er mars '58) 111–112. Aussi ds: *Les Amis de F'*, 16 ('60) 26–30

958014   Bureau, Jean: Sur les pas de F' à Pont-l'Evêque. Ds: *Le Pays d'Auge*, VIII, 3 (mars '58) 10–14

958015   Cajoli, Vladimiro: Il processo alla *Bovary* 100 anni dopo. Ds: *Nuova Antologia*, 472 ('58) 531–548

958016   Camilucci, Marcello: L'officina della *Madame Bovary*. Ds: *Humanitas*, XIII ('58) 449–459

958017   Carmody, F. J.: Further sources of *La Tentation de Saint Antoine*. Ds: *RR*, XLIX ('58) 278–292

           Chadbourne, R. M.: CR de R. Giraud: *The unheroic hero in the novels of Stendhal, Balzac and F'*. Voir 957059

958018   Cigada, Sergio: Un nuovo documento su *Madame Bovary*. Il pittore Vaufrilard. Ds: *RLMC*, XI, 1 (marzo '58) 30–34

           Clark, John G.: CR de R. Giraud: *The unheroic hero in the novels of Stendhal, Balzac and F'*. Voir 957060

958019   Colin, Gerty: La véritable édition originale de *Madame Bovary*. Ds: *LE*, 16 ('58) 259–260

958020   Cook, Albert: F'. The riches of detachment. Ds: *FR*, XXXII ('58–'59) 120–129. (Sur *Madame Bovary*.)

958021   Cottin, Madeleine: Sur un manuscrit de F', *Passion et Vertu*, entré à la Bibliothèque Nationale. Ds: *Bulletin des Bibliothèques de France*, 3e année (mai '58) 366–367

958022   Cottin, Madeleine: L'Exposition *Madame Bovary* à la Bibliothèque Nationale. Ds: *Les Amis de F'*, 12 ('58) 42–43

958023   Datain, J.: Les normandismes de *Madame Bovary*. Ds: *VL*, VII ('58) 159–163

           Desprechins, Robert: Quelle est l'édition originale de *Madame Bovary*? Voir 957046

958024   Dumesnil, René: *'Madame Bovary'. Etude et analyse*. Ps: Mellottée, '58. 320p.

958025   — Gothot, Claudine: CR. Ds: *Marche Romane*, 9 ('59) 185–186

958026   — XY: CR. Ds: *Les Amis de F'*, 14 ('59) 62–63

958027 Dupuy, Aimé: Quel fut le véritable séducteur d'Emma Bovary? Ds: *La Presse Médicale* (18 janvier '58) 95–96

958028 Dupuy, Aimé: Le Docteur Vaucorbeil et son rôle dans *Bouvard et Pécuchet*. Ds: *La Presse Médicale* (22 novembre '58) 1843–1845

958029 Engstrom, Alfred: Vergil, Ovid and the cry of fate in *Madame Bovary*. Ds: *Philological Quarterly*, XXXVII ('58) 123–126

958030 Ferrand, J. (Féroré, C.): Autour de *Madame Bovary*. Ds: *Les Amis de F'*, 12 ('58) 32–34

958031 Fischer, E. W.: Une trouvaille. Ds: *La Table Ronde*, 124 (avril '58) 96–124. (Sur *La Spirale*.)

958032 — XY: CR. Ds: *Les Amis de F'*, 13 ('58) 44–45

958033 Gambier, P.: L'ancêtre chouan de F'. Ds: *Revue du Bas-Poitou*, 69 (juillet–août '58) 316–320

958034 Geneslay, Georges: Monsieur Homais. Ds: *Le Pays d'Auge*, VIII, 9 (septembre '58) 15–16; 10 (octobre '58) 14–15; 11 (novembre '58) 14–16; 12 (décembre '58) 17–19

958035 George-Day, Mme.: Autour de *Salammbô*. Ds: *Les Amis de F'*, 12 ('58) 19–23

958036 Gooch, G. P.: G. Sand et F'. Ds: *Contemporary Review*, CLXXXXIV ('58) 318–323

958037 Grubbs, H. A.: Fictional time and chronology in the *Education sentimentale*. Ds: *Kentucky Foreign Language Quarterly*, V ('58) 183–190

958038 Guisan, Gilbert: F' et la révolution de 1848. Ds: *RHLF*, LVIII ('58) 183–204

958039 Haloche, Maurice: De quelques manuscrits de F'. Ds: *Les Amis de F'*, 12 ('58) 39–41

958040 Haloche, Maurice: F' et Guy de Maupassant. Ds: *Les Amis de F'*, 13 ('58) 6–11

958041 Henriot, Emile: Eulalie fut-elle aimée par F'? Ds: *Historia*, 24 ('58) 538–541

958042 Jauss, Hans Robert: Die beiden Fassungen von F's *Education sentimentale*. Ds: *Heidelberger Jahrbücher*,

II ('58) 96–116. Aussi ds: *Der franzözischen Roman im 19. Jahrhundert.* Herausgegeben von Winfried Engler. Darmstadt: Wissenschaftliche Buchgesellschaft, 1976, 293–324

958043 Lambert, Pierre: Sur un cahier de F' collégien, 1837–1838. Ds: *Les Amis de F'*, 12 ('58) 36–38

Lambiotte, Auguste: Les exemplaires en grand papier de *Madame Bovary*. Voir 957085

958044 Lambiotte, Auguste: Les exemplaires en grand papier de *Salammbô* et de *L'Education sentimentale*. Ds: *LE*, 13–14 ('58) 9–21; 16 ('58) 258. Aussi ds: *Les Amis de F'*, 14 ('59) 29–37

Le Pauvremoyne, Jehan: CR de R. Herval: Les véritables origines de *Madame Bovary*. Voir 957078

958045 Mann, Heinrich: F' und die Kritik. Ds: F': *Briefe an G. Sand*. Weimar: G. Kiepenhauer Verlag, '58, 5–10

958046 Maurois, André: La Dame aux Violettes. Une lettre d'amour inédite de F'. Ds: *Plaisir de France* (décembre '58)

958047 Mazeraud, J.: A Bagneux (Marne) j'ai rencontré la descendante des F' 'vétérinaires champenois'. Ds: *Les Amis de F'*, 12 ('58) 34–36

958048 Melani, Pier-Luigi: Gli esperimenti teatrali di F'. Ds: *Sipario*, 144 (aprile '58) 24, 61

958049 Parel, Jean-André-Tristan: *Les officiers de santé au XIXe siècle d'après la vie et l'œuvre de F'*. Ps: D. P. Taib, '58. (Thèse Médecine, Paris.)

958050 Picard, Gilbert-Charles: *La vie quotidienne à Carthage au temps d'Hamilcar*. Ps: Hachette, '58. 271p. (Collection: La vie quotidienne.)

958051 Renaudin, André: Les modèles d'Emma Bovary. Ds: *La Liberté-Dimanche* (5 janvier '58)

Reuillard, Gabriel: L'Exposition Homais à La Salpétrière. Voir 957115

Reuillard, Gabriel: Don Amoros, héros flaubertien. Voir 957117

958052   Ricard, Robert: Pérez Galdos devant F' et Alphonse Daudet. Ds: *Bulletin de l'Institut Français en Espagne* ('58) 25–33. Aussi ds: *Annales de l'Université de Paris* ('58) 449–459. Aussi ds: *Les Lettres Romanes*, XIII ('59) 3–18

958053   Rouault de la Vigne, René: Sir Richard Wallace et F'. Ds: *Intermédiaire des Chercheurs et des Curieux*, 89 (août '58). Aussi ds: *Les Amis de F'*, 14 ('59) 28–29

Sédille, Pierre: CR de R. Herval: Les véritables origines de *Madame Bovary*. Voir 957079

Shaw, Marjorie: CR de B. F. Bart: *F's Landscape Descriptions*. Voir 956011

Spencer, Philip: CR de R. Giraud: *The unheroic hero in the novels of Stendhal, Balzac and F'*. Voir 957061

Spencer, Philip: CR de B. F. Bart: *F's Landscape Descriptions*. Voir 956012

958054   Suffel, Jacques: Les clés de *L'Education sentimentale*. Ds: *NL* (16 octobre '58) 4

958055   Suffel, Jacques: *F'*. Ps: Editions universitaires, '58. 155p.

958056   — Cogny, Pierre: CR. Ds: *CN*, I ('55–'60) 478–479

958057   — XY: CR. Ds: *Les Amis de F'*, 13 ('58) 46–47

958058   — Bruneau, Jean: CR. Ds: *RLMC*, XII ('59) 88–90

958059   — Sédille, Pierre: CR. Ds: *Etudes Normandes*, 30–32 ('59) 162

958060   Talva, F.: F' dans les parcs de Vichy. Ds: *Les Amis de F'*, 13 ('58) 11–12. Aussi ds: *La Montagne* (21 mars '58) 8

958061   Thénen, Rhéa: F' à Jerusalem. Ds: *Mercure*, 332 ('58) 152–159

958062   Vaillant, Annette: Madame Bovary n'a pas une ride. Ds: *Preuves*, 85 (mars '58) 67–68

958063   Vallery-Radot, Pierre: La médecine aux expositions Baudelaire et F'. Ds: *La Presse Médicale* (25 janvier '58) 149–150

958064   Vigo, René: Présence de F' à Nogent-sur-Seine. Ds: *Les Amis de F'*, 13 ('58) 3–6. Aussi ds: *Bulletin mensuel de la Société Académique de l'Aube* (février '58) 25–26

958065   Watanabe, Takashi: F' dans ses 'œuvres de jeunesse'. Ds: *Regards. Revue de la Littérature et de la Langue française*, Université·de Tohuku, 2 ('58)

XY: CR de G. Venzac: *Au pays de 'Madame Bovary'*. Voir 957141

XY: CR de E. W. Fischer: Une trouvaille. Voir 958032

XY: CR de J. Suffel: *F'*. Voir 958057

XY: CR de R. Rouault de la Vigne: L'Inventaire après décès de la bibliothèque de F'. Voir 957120 et 957121

958066   XY: Quand Maupassant, Mirbeau, F' et Tourgueneff jouaient la comédie. Ds: *Paris-Normandie* (24 janvier '58) 9. (Sur la farce de Maupassant *A la Feuille de la Rose, maison turque.*)

Editions

959001 (*Education sentimentale.*) *Lehrjahre des Gefühls.* Hamburg: Rowohlt, '59.

959002 *Madame Bovary.* Translated by Gerard Hopkins. Ldn: Oxford University Press, '59. x, 432p.

959003 *Trois contes.* Edited by Colin Duckworth. Ldn: Harrap, '59. 243p.

959004 — Burns, C. A.: CR. Ds: *MLR*, LV ('60) 144

Critique

Auerbach, Erich: *Madame Bovary.* Voir 946023

Bart, Benjamin F.: CR de S. Cigada: *Un decennio di critica flaubertiana (1945–1955).* Voir 957040

959005 Bieler, Arthur: La couleur dans *Salammbô.* Ds: *FR*, XXXIII ('59–'60) 359–370. Aussi ds: *Les Amis de F'*, 21 ('62) 18–27

Billy, André: F' et les frères de Goncourt. Voir 958009

959006 Bosquet, Gaston: Nouvelles recherches sur les sources locales traditionnelles de *Madame Bovary.* Ds: *Les Amis de F'*, 15 ('59) 14–21

959007 Bosquet, Gaston: Une leçon de *Madame Bovary.* Ds: *La Nouvelle Revue Pédagogique* (15 mai '59) 4. Aussi ds: *Les Amis de F'*, 15 ('59) 25–26

959008 Brăescu, I.: Le rythme ternaire dans la prose de F'. Ds: *Recueil d'études publié à l'occasion du IXe Congrès International de linguistique romane à Lisbonne, du 31 mars au 3 avril '59.* Bucureşti: Editions de l'Académie de la République populaire roumaine, '59, 279–286

Bruneau, Jean: CR de J. Suffel: *F'.* Voir 958058

959009 Castex, Pierre-Georges: L'explication d'un texte français. F'. *L'Education sentimentale.* Ds: *Revue de l'Enseignement Supérieur* (janvier–mars '59) 63–71

959010 Cigada, Sergio: Genesi e struttura tematica di *Bovary.* Ds: *Contributi del Seminario di Filologia Moderna* (Milano). Serie francese, I ('59) 185–277

959011 — Spaziani, M.: CR. Ds: *SF*, IV ('60) 272–273

959012 Cigada, Sergio: La *Leggenda aurea* di Jacopo da Voragine e *La Tentation de Saint Antoine* di F'. Ds: *Contributi del Seminario di Filologia Moderna* (Milano). Serie francese, I ('59) 278–295

959013 — Spaziani, M.: CR. Ds: *SF*, IV ('60) 373

959014 Cigada, Sergio: F', Verlaine e la formazione poetica di Gabriele D'Annunzio. Ds: *RLMC*, XII ('59) 18–35

959015 Cigada, Sergio: L'*Eggito* di Maxime Du Camp e *La Tentation de Saint Antoine*. Ds: *SF*, III ('59) 94–100

959016 Cottin, Madeleine et Bruneau, Jean: Sur un manuscrit de jeunesse: *Passion et vertu*. Ds: *RHLF*, LIX ('59) 531–533. Sommaire ds: *Les Amis de F'*, 16 ('60) 25–26

959017 David, Marius: Une curieuse lettre de F' met en cause la Poste aux lettres de Dieppe. Ds: *Les Amys du Vieux Dieppe*, 65 ('59) 41–42. (F' et sa correspondance clandestine avec Victor Hugo.)

959018 Dupuy, Aimé: Du temps qu'ils étaient écoliers. Ds: *Nouvelle Revue Pédagogique* (15 avril '59) 2–3

959019 Dutoit, Ernest: La prière de F' romancier. Ds: *Journal de Genève* (1er et 2 août '59)

Gothot, Claudine: CR de R. Dumesnil: *'Madame Bovary'. Etude et analyse*. Voir 958025

959020 Haloche, Maurice: George Sand et F'. Ds: *Les Amis de F'*, 15 ('59) 9–14

959021 Hemmings, F. W. J.: Emile Zola and *L'Education sentimentale*. Ds: *RR*, L ('59) 35–40

959022 Kaufmann, F.: Die Verwirklichung des Wesens in der Sprache der Dichtung. F'. Ds: *For Roman Ingarden. Nine Essays in Phenomenology*. 's-Gravenhage: M. Nijhoff, '59, 110–146

959023 Köhler, Erich: Essay zum Verständnis des Werks und eine Bibliographie. Ds: *F': Lehrjahre des Gefühls (L'Education sentimentale)*. Hamburg: Rowohlt, '59, 314–334. Aussi ds: E. Köhler: *Esprit und arkadische Freiheit*. Frankfurt am Main; Bonn: Athenäum Verlag, 1966, 198–223

959024   Lambert, Pierre: Le baptême d'Emma Bovary en Egypte.
          Ds: *Les Amis de F'*, 15 ('59) 24–25

959025   Lambiotte, Auguste: Les exemplaires en grand papier des
          originales de F'. Note complémentaire: *Salammbô*. Ds:
          LE, 19 ('59) 185–188

959026   Lambiotte, Auguste: Les exemplaires en grand papier de
          La Tentation de Saint Antoine et des *Trois contes*. Ds:
          LE, 20 ('59) 235–240

          Lambiotte, Auguste: Les exemplaires en grand papier de
          Salammbô et de *L'Education sentimentale*. Voir 958044

959027   Levron, J.: La Bibliothèque de F'. Ds: *Mercure*, 337 ('59)
          161–163. (Voir aussi 561–562)

959028   Lozano, Carlos: Paralelismos entre F' y Eduardo Barrios.
          Ds: *Revista Iberoamericana*, XXIV, 47 ('59) 105–116.
          (Sur les parallèles entre F' et Barrios: *Un Perdido* et *El
          niño que enloqueció de amor.*)

          Lugli, Vittorio: Bovary italiane. Voir 957092

          Lugli, Vittorio: F' interdetto e confuso. Voir 955026

          Lugli, Vittorio: Il centenario del capolavoro. Voir 956042

959029   Lugli, Vittorio: Nella scia di *Madame Bovary*, *Fanny* di
          Feydeau. Ds: V. Lugli: *Bovary italiane*. Roma: Salva-
          tore Sciascia Editore, '59, 41–45. Aussi ds: *L'Approdo
          Letterario* (aprile–giugno '59)

959030   Maqueron, Pierre: Les exemplaires sur grand papier de
          Salammbô. Ds: *Les Amis de F'*, 15 ('59) 46

          Maranini, Lorenza: *Novembre* di F'. Voir 952020

959031   Maranini, Lorenza: Visione e personaggio secundo F'. Ds:
          L. Maranini: *Visione e personaggio secundo F' ed altri
          studi*. Padova: Liviana editrice, '59, 9–55

959032   — Cigada, Sergio: CR. Ds: *SF*, IV ('60) 572–573

959033   — Onimus, J.: CR. Ds: *RSH*, 100 ('60) 522–524

959034   Marceau, F.: Emma Bovary. Ds: *Revue de Paris* (janvier
          '59) 38–42

959035   Mason, Germaine: La veillée et l'enterrement d'Emma Bovary. Etude sur la méthode de F'. Ds: *FS*, XIII ('59) 125-134

959036   Mignot, Georges: Le Père Mignot, premier grand ami de F'. Ds: *Les Amis de F'*, 14 ('59) 3-5

959037   Nadeau, Maurice: Faire une revue. Ds: *Les Lettres Nouvelles* (21 octobre '59) 1-2; (28 octobre '59) 2-4; (4 novembre '59) 1-2; (18 novembre '59) 1-2; (25 novembre '59) 1-2. (Lettre de F' à Louise Colet à propos d'un projet de revue littéraire.)

959038   Neuenschwander-Naef, C.: *Vorstellungswelt und Realismus in 'Bouvard et Pécuchet'*. Winterthur: Keller, '59. iv, 119p. (Thèse Zürich.)

959039   Nobécourt, R.-G. et Leleu, Gabrielle: Prix d'études normandes de l'Académie de Rouen. Ds: *Revue des Sociétés savantes de Haute-Normandie*, 7 (Lettres) 15 ('59) 91-94. (Sur le travail de Gabrielle Leleu sur F'.)

959040   Picard, Gilbert-Charles: *Le Monde de Carthage*. Ps: Corrêa, '59. 194p.

959041   Piccolo, Francesco: Nota sulla storia della poetica di F'. Ds: *Studi in onore di A. Monteverdi*. Modena: Società Tipografica Editrice Modenese, '59. Vol II, 594-603

959042   Reuillard, Gabriel: F' enquêteur commercial. Ds: *Les Amis de F'*, 14 ('59) 44-45

Ricard, Robert: Pérez Galdos devant F' et Alphonse Daudet. Voir 958052

959043   Robichon, Jacques: Citée à la barre du procès F'. *Madame Bovary*, la mal-aimée romantique de 1856, histoire imaginaire d'une héroïne vraie. Ds: J. Robichon: *Le Roman des Chefs-d'œuvre*. Ps: Fayard, '59, 117-154

Rouault de la Vigne, René: Sir Richard Wallace et F'. Voir 958053

959044   Salvaterra, N.: Le Sieur Pinard (1882-1909), ministre intègre ou poète grivois. Ds: *Les Amis de F'*, 14 ('59) 5-11

Sédille, Pierre: CR de J. Suffel: *F'*. Voir 958059

Seznec, Jean: CR de L'Exposition *F' et 'Madame Bovary'*. Voir 957010

959045 Tolmacev, M. V.: Une liasse de lettres inédites de F'. Ds: *Annales de la Bibliothèque d'Etat Lénine*, (Moscou), 21 ('59) 236–243

959046 Toutain-Revel, Jacques: F' et Charles Cuny. Ds: *Les Amis de F'*, 14 ('59) 38–39

959047 Vasquez-Bigi, Angel M.: El tipo psicológico en Eduardo Barrios y correspondencias en las letras europeas. Ds: *Revista Iberoamericana*, XXIV, 48 ('59) 265–296

959048 Vérard, René: Adolphe Jouanne fut-il ou non le prototype du pharmacien Homais? Ds: *Les Amis de F'*, 14 ('59) 39–43

959048 Vérard, René: *Epilogue de 'l'affaire Bovary'. La victoire de Ry*. Rouen: Maugard, '59. (Non-paginé: 62p.)

959050 — XY: CR. Ds: *Les Amis de F'*, 15 ('59) 67

959051 Wetherill, P. M.: *Madame Bovary* und Goethe. Ds: *GRM*, IX ('59) 432

959052 XY: Les ventes F' à la Salle Drouot. Ds: *Les Amis de F'*, 14 ('59) 45–54

959053 XY: La vente d'œuvres de F' à la Salle Drouot. Ds: *Les Amis de F'*, 15 ('59) 51–54

XY: CR de R. Dumesnil: *'Madame Bovary'. Etude et analyse*. Voir 958026

XY: CR de C. Mersch: Relisons *Madame Bovary*. Voir 957098

XY: CR de R. Vérard: *Epilogue de 'l'affaire Bovary'*. Voir 959050

/

INDEX

Aarnes, Asborn	957012
Achard, Paul	925008
Adam, Paul	921012
Adda, Paul	937009
Agulhon, Maurice	948008
Alain	933004
Albalat, Antoine	925009, 925010, 927009, 927011, 927012, 927013, 927014, 927015
Alboreto, L.	957013
Alden, Douglas W.	937016
Alègre, Jacques	956006
Allary, Jean	929007
Allason, B.	956007
Allen, Kelcey	936061
Allen, Walter	941002
Allenspach, Max	923006
Ambrière, Francis	934004, 936004, 936029, 936030, 936031, 936032, 936033, 937008, 937017, 938012, 938013
Anderson, John	936062
André-Marie, P.	921013
Andrieu, Lucien	956008
Andrieux, Georges	928017
Angioletti, G. B.	953023, 957014
Anselmo, Francesco	953024
Arcari, P.	942009
Armstrong, T. Percy	939005
Arnaud, P.	922009
Arnoux, Alexandre	934005
Arvin, N. C.	924010
Atkinson, Brooks	936063
Aubade, Raoul	921014
Aubert, Louis	925004
Audiat, Pierre	949016, 951014
Auerbach, Erich	946023, 951007
Augustin-Thierry, A.	932008
Aulan, Gabriel d'	922010
Auriant (*pseud.*)	926014, 926015, 927021, 927022, 928018, 928019, 931018, 931048, 932009, 932022, 934006, 934007, 936034, 936035, 936036, 936037, 936038, 938014, 939006, 943008, 945017, 947018, 948013
Bac, Ferdinand	951008
Bachelin, Henri	932010, 932011, 937018
Bailly, René	949017
Bainville, Jacques	926016
Baker, Denys Val	957015
Balde, Jean	931019

Bandy, T. W.	957016
Banville, Théodore de	923007
Barbey, Bernard	936041
Bardon, Maurice	936039
Bardoux, Jean	937019
Barjac, Claude	932026
Baroche, Mme Jules	921015
Barron, Jean	958007
Bart, Benjamin F.	947020, 949018, 950017, 950018, 950030, 951009, 953015, 953025, 953026, 954013, 956009, 957017, 957040
Barthes, Roland	953027
Barzun, Jacques	954004
Baty, Gaston	936040, 936042, 936043
Bauchard, Charles	953028, 954014
Baudin, Jacques	957018
Bauer, Franz	948003
Bauër, Gérard	921016
Bauer, H. C.	955007
Baumgartner, F. F.	921017
Beauchesne, A.	929011, 930018
Beaume, Georges	921018, 921019, 930019
Beaunier, André	921049
Beauplan, Robert de	936044
Beaurepaire, Georges de	930020
Becker, Heinrich	934008
Bédé, Jean-Albert	937023, 939023, 957019
Beeching, Jack	950019
Béguin, Albert	950020
Bell, Nelson B.	936064, 936065
Bellaunay, P.	953018
Bellesort, André	921020, 927019, 936045
Benassis: Voir Finot, André	
Benedetto, Luigi Foscolo	953029
Bérard, Léon	921110
Berner, P.	922007
Bernoulli, Karl Albrecht	922011
Bersani, Leo	958008
Bersaucourt, Albert de	924011
Bertaut, Jules	921021
Bertrand, Georges-Emile	932012, 947021
Bertrand, Louis	921022, 921026, 921027, 921028, 923008, 923009, 931020, 932013
Besnier, Charles	956013, 957020
Besterman, Theodore	955004
Beuchat, Charles	939007
Bidou, H.	936046
Bieler, Arthur	959005
Billy, André	926017, 932023, 934009, 936047,

Brown, Irving	927023
Brown, John Mason	936067
Bruézière, Maurice	953007
Bruneau, Charles	947025
Bruneau, Jean	941003, 957032, 958058, 959016
Brunel, Raoul	925013
Brunet, Gabriel	931010
Brunon Guardia, G.	934012
Buck, Eva	949019
Buck, Stratton	941004, 952009, 957033
Bureau, Jean	949020, 958014
Burke, K.	922013
Burns, Colin A.	952010, 954016, 955010, 959004
Buzzini, Louis	930022, 930023
Byblik-Gordon, O.	930006
Cadilhac, Paul-Emile	930024
Cain, J.	957009
Cajoli, Vladimiro	958015
Caldain, Jean de	955011
Calvet, Jean	928020, 948016
Camerino, A.	954017
Camilucci, Marcello	957034, 958016
Canu, Jean	931022, 932015, 932016, 933005,
	946024
Carco, Francis	953004
Cardew, Robert H.	951015, 953033
Carmody, F. J.	958017
Carmody, J.	936068
Carré, Jean-Marie	923011, 947026
Carrère, Jean	922014
Carter, A. E.	946025, 949021
Cassa Salvi, I.	957035
Cassidy, Claudia	936009
Castellani, Emilio	942004
Castex, Pierre-Georges	959009
Catalani, G.	939008
Cather, Willa	933006
Caye, Marc	954018
Cé, Camille	931034
Céard, Henry	921040, 955011
Cecchi, E.	953016, 957036
Chaboseau, A.	922015
Chadbourne, R. M.	957059
Chaix-Ruy, J.	956016
Chardon, Pierre	932017
Charensol	928021
Charles, J. S.	931005
Charles, Joan	949007
Charles-Picard, G.: Voir Picard, G.-C.	

Charpentier, Henry	922016
Charpentier, Jean	925014
Charpentier, John	930033
Chassé, Charles	921041, 924014
Chastel, André	949022
Chauvelot, Robert	921042, 927024
Chaves, Castello Branco	938015
Cheronnet, Louis	948017
Chevalley-Sabatier, Lucie	936098, 956017
Chevron, J.	923012
Chignell, A. K.	928013
Cigada, Sergio	956018, 956019, 956020, 957037, 957038, 957039, 957042, 958018, 959010, 959012, 959014, 959015, 959032
Cinti, Decio	921006
Clamens, Pierre A.	954019, 956010
Clark, John G.	957060
Clauzel, Raymond	921043, 928022
Clavel, Vincente	928012
Clavería, Carlos	942011, 945018, 950024
Clement, Franz	930025
Clerc, Charles	926018
Clouzot, Henri	925015
Cœuroy, André	923013
Cogny, Pierre	958056
Cohen, Harold	936070
Cohen, J. M.	950014
Coleman, Algernon	922017, 922018, 925016
Coleman, Robert	936071
Colet, Louise	926012, 926013
Colette	936049
Colin, Gerty	955021, 955025, 958019
Colling, Alfred	941005, 946007
Colling, Charles	936072, 936073
Colmant, Paul	950025
Cololian, P.	937021
Colonna, P.	954020
Comtesse, Alfred	953034
Cook, Albert	958020
Coquet, James de	936050
Corpechot, Lucien	921044, 923014
Cottin, Madeleine	957043, 958021, 958022, 959016
Couffignal, Robert	951021
Courtney, G. J. P.	943010
Cox, Constance	948018
Cremer, W.	924005, 925002
Crémieux, Benjamin	921128, 936051
Croce, Benedetto	922019, 938016
Crouzet, Michel	955012

	922026, 923016, 923017, 924013, 925023, 927025, 951023
Dubreuil, Louis	930028
Dubuc, André	956023, 957047
Duckworth, Colin	959003
Dufay, Pierre	921055, 926019, 933009, 934015
Duhamel, Georges	943011
Dumesnil, René	921056, 921057, 922007, 923018, 923019, 924017, 924023, 925020, 925024, 925025, 925026, 925027, 925028, 925029, 925030, 926010, 926020, 926021, 926022, 926023, 926024, 926025, 926026, 927010, 927016, 927026, 927027, 927028, 927029, 927030, 927031, 927041, 928023, 928024, 928025, 931032, 932020, 932029, 932030, 932031, 932032, 933010, 933011, 933012, 936001, 936002, 936005, 936026, 936054, 936099, 936100, 936101, 936102, 936103, 936104, 936105, 939003, 940002, 940004, 942002, 942012, 942013, 943014, 943015, 944002, 944003, 945001, 945009, 945016, 945019, 945020, 946004, 946029, 946030, 946031, 947016, 947021, 947027, 948001, 948011, 948020, 948021, 948022, 948023, 948024, 949023, 950028, 951024, 951025, 953008, 953036, 954021, 955003, 955014, 957005, 957048, 957049, 957050, 958002, 958024
Dumur, Louis	924018
Dupuy, Aimé	950033, 953037, 957051, 958027, 958028, 959018
Durand, André	951026, 953040
Durry, Marie-Jeanne	950029, 957007, 957052
Duthie, E. L.	951027
Dutoit, Ernest	959019
Duvernois, Henri	931033
Dy, Pierre	936106
Earp, T. W.	936007, 954002
Edel, Leon	954022
Edel, Roger	935007
Edschmid, Kasimir	921058, 922027
Eich, Günter	932033
Elisarova, M. E.	946032
Engstrom, A. G.	949024, 950034, 958029
Errera, D.	953041

Escholier, Raymond	949025
Etienne, René	955022
Falco, G.	955015
Falkland, Charles	932034
Fauchois, René	954007
Faure, Gabriel	932035, 933013, 933014
Férard, E. A.	930029
Ferguson, Walter	934016
Fernand-Demeure	930030
Ferrand, J. (C. Féroré)	958030
Ferrère, E.-L.	949002
Fino, J. Frédéric	949026
Finot, André	947028, 949027, 949040, 950036,
	952011, 954023
Fischer, E. W.	922005, 923003, 923020, 924009,
	929018, 930013, 933015, 954008,
	958031
Fischer, Wilhelm	928027
Fitch, Girdler B.	940005
Fleury, R. A.	933016
Fluck, Edward J.	954006
Fontanta, Oskar M.	923021
Fougère, Mme Paule	952012
Francis, René	924007
Francis, Robert	936074
François, Alexis	922028, 953042
Frank, Joseph	945021, 952031
Franke, Elisabeth	929019
Freienmuth von Helms,	
Ernst Eduard Paul	939010
Frejlich, Hélène	933017, 936107
Frétet, Dr. Jean	939011
Friedmann, W.	921059
Friéderich, Jean-E.	954024
Friedrich, Hugo	939012
Frierson, William C.	925031
Frohock, W. M.	951010
Fryer-Powell, A.	921060
Furst, Norbert	941009
Gachot, E.	921061
Gaghan, Gerard	936075
Galante Garrone, A.	957054
Galérant, Dr.	955016, 957055
Gallotti, Jean	948025
Gamberini, S.	956024
Gambier, P.	958033
Garcin, Philippe	947029
Gaultier, Jules de	921062, 923022, 933018, 934017,

	935008
Gaumont, J.	931034
Gauss, Christian	930005
Gavel, H.	951028
Geffken, Hanna	921063
Geneslay, Georges	958034
Genil-Perron, Dr.	935009
Genty, Maurice	927032
George-Day, Mme	958035
Georges, Emile	921064
Gerace di Vasto, Luigi	939013
Gérard-Gailly	930031, 932036, 932037, 932038,
	934018, 934019, 939014, 944004,
	946022, 947030, 952013
Gibian, George	956025
Gide, André	924020
Giese, W. F.	938018
Gilbert, Paul T.	936076
Gill, F.	944005
Gilman, Margaret	941010
Gilmer, John	928013
Gingerich, V. J.	949004
Girard, Georges	921065, 930035
Giraud, Jean	936108
Giraud, Raymond	957056
Giraud, Victor	932028
Girodon, G.	957062
Glanz, Robert	930036
Glauser, Alfred	921133
Goldsmith, Anthony	947005
Goncourt, Edmond de	936109
Gooch, G. P.	958036
Gordon, Caroline	948026
Gorm, Ludwig	930037
Gorsse, Pierre de	935010
Gothot-Mersch, Claudine	957097, 958025
Gottschalk, A.	952014
Goubert, Paul	949015
Grand, S.	955001
Grand-Carteret, Jean	921066
Grau, Jacinto	946002
Green, F. C.	931005
Grenier, C.	956026
Grey, Rowland	922029
Groos, K.	924021
Grosshaenser, W.	923023
Grounauer, Madeleine	945022
Grubbs, H. A.	958037
Guddorf, Helene	933019
Guérinot, A.	922030

Mersch, Claudine: Voir Gothot-Mersch, Claudine

Mettra, Jacques	951045
Meyer, E.	921091, 923035
Michaut, Gustave	935012
Mignot, Georges	959036
Miles, Hamish	930004, 930007
Miller, L. Gardner	934028, 934029
Miltschinsky, Margarete	926003
Miomandre, Francis de	948037, 948038
Mockel, Albert	921092, 921093
Monda, Maurice	931044, 931045, 933027
Monnier, Pierre	921094
Montale, E.	955029
Montergon, Camille de	949034
Montorgueil, Georges	921095, 922044
Monval, Jean	922045, 930052
Moore, W. G.	957057
Morand, Hubert	925037
Morand, Paul	921096
Moreau, Pierre	922046, 949005, 949035, 952022, 956047, 957099, 957100
Moreno, José Perez	945003
Morisset, Maurice	954029, 954038, 957101, 957102
Mornet, Daniel	926029
Mortier, Alfred	935013
Mortier, Pierre	931059
Mühlberger, J.	957103
Müller, G. H.	949013
Murdock, Henry T.	936087
Murry, John Middleton	921098, 922047, 924026
Muselli, Vincent	950043
Musset, René	957104
Naaman, Antoine	954039
Nadeau, Maurice	959037
Nathan, Jacques	936017
Neibecker, Alphonse	921099
Nelson, R. J.	957105
Nesselstrauss, Benno	921008, 922048
Neubert, F.	921100
Neuenschwander-Naef, C.	959038
Neukomm, Gerda	943023
Neumeyer, E. M.	937040
Neveu, Raymond	956048
Nicole, Charles	955030
Nisard, Désiré	932048
Nobécourt, R. G.	959039
Normandy, Georges	928014, 930053, 942008, 950012
Nowack, F.	928036

Poinssot, Louis	941016
Pollack, Robert	936091
Pommier, Jean	932046, 932047, 946038, 947042,
	947043, 947044, 947045, 947047,
	949003, 949037, 949038, 949039,
	949040, 950032, 950045, 951046,
	952025, 953008, 954030
Pontalis, J.-B.	954040
Porquerol, Elisabeth	957110
Porter, Ellis Gibson	957111
Poulet, Georges	949041
Pound, Ezra	922049
Powys, John Cowper	923003
Pozzi, Antonia	940007
Prévost, Ernest	924027
Price, Edgar	936092
Primoli, Joseph	921106, 927007 !
Prod'homme, Jacques G.	931049
Proust, Marcel	921096, 927042
Prucher, Auda	946039, 953053
Puy, Michel	929027
Queneau, Raymond	947001
Quennell, P.	940008
Quenzel, Karl	929005
Raab, R.	926032
Rabette, Charles	936116
Rageot, Gaston	921107, 921108
Rainalter, Erwin	930056
Ramsay, J. A.	957112
Ranous, Dora Knowlton	930009
Raoul-Duval, Edgar	950012
Rat, Maurice	948041, 948042, 948043, 950046,
	952026, 953038, 953054, 954041,
	954042, 956050, 957113, 957139
Ratermanis, J.	935015, 939020
Raya, G.	956052, 956053
Rebell, Hugues	929028
Reboux, P.	932048
Redman, Ben Ray	922002, 931006
Regnault, Félix	927043
Régnier, Henri de	928026, 930032, 935016
Reizov, B. G.	955031
Rémond, Alfred	932049
Renan, Ernest	924028
Renaudin, André	952027, 958051
Renault, Michel	923036
Reuillard, Gabriel	929029, 930057, 931050, 948044,
	953055, 953057, 953058, 954043,

	956053, 956054, 956055, 957114, 957115, 957116, 959042
Revel, Bruno	952028, 953059
Revel, Jean	952029
Ricard, Robert	958052
Ricaud	957117
Richard, Charles	923004
Richard, Jean-Pierre	954044
Richard, Marius	933029, 936117
Richelieu	921109
Riegers, Erwin	934001
Rigny, Fernand	921110
Rinehart, K.	957118
Ritschl, Sophie	929005
Robdel, Henry	921111
Robert, Paul-Louis	921112, 922050, 924029
Roberts, R. Ellis	921113
Robertson, J. M.	923037
Robichon, Jacques	959043
Roger-Marx, Claude	936118
Rolland-Manuel	925038
Romains, Jules	922051
Rossi, Louis R.	953060
Rossillon, P.	930058
Rouault de la Vigne, René	921114, 922052, 930059, 932025, 933030, 957119, 958053
Rouch, Jules-Alfred-Pierre	929030
Roudaud, Hélène	935017
Rouville, François	934030
Roy, Claude	953061
Roy, Hippolyte	930060
Roya, M.	930061
Royère, Jean	928015, 928038, 929003, 931015, 932007
Roz, F.	921115
Rudich, Norman	953062
Rudwin, M.	928039
Rumbold, R.	950014
Ruppert, Hans	948010
Russell, Alan	950005
Rylandt, C.	953063
Sabino, Fernando	952002
Sachs, Murray	957058
Sacy, Samuel S. de	951004
Saillens, Emile	936119
Saint-Denis, E. de	935018
Saintsbury, George	928013
Salvaterra, N.	959044
Sand, George	940001, 948002

Sander, Ernst	924004, 950006, 950007
Sandwith, Mrs. H.	922053
Sanvoisin, Gaëtan	936120
Sbarbo, Camillo	945015
Schacherl, Bruno	946040
Schaffer, Aaron	941017
Schaukal, Richard von	921003, 922054
Scheifley, W. H.	921116
Scheyer, Moritz	930062
Schikelé, René	952005
Schloss, Edwin H.	936093
Schlötke-Schröer, Charlotte	956056
Schmidt, A.-M.	953006
Schmidt, Julius	956057
Schmidt-Degener, Frederick	942018, 948045
Schmitt, Florent	928040
Schneider, L.	930063
Schon, Norman	936082
Schöne, Maurice	943024
Schotthöfer, F.	930064
Schreiber, E. L.	947048
Schreiber, J. G.	947006
Schurig, A.	922055
Schwab, Raymond	949045
Sédille, Pierre	957079, 957140, 958059
Segura, Enrique	950047
Seillière, Ernest	924030
Sekrecka, M.	957122
Semenoff, Eugène	929031
Semenoff, Marc	929031
Sennep, J.	933028
Serini, Paolo	949014, 953010
Servais, Tony Hubert	936121
Seznec, Jean	939021, 940009, 942010, 942019,
	943025, 943026, 945025, 945026,
	946041, 949042, 949043, 950016,
	951047, 957010
Shanks, Edward	938041
Shanks, Lewis Piaget	927034
Shattuck, Roger	954045
Shaw, Marjorie	956011, 956059, 957123
Sheldon, L.	927045
Sherman, Stuart P.	922008
Simon, Pierre-Henri	957124
Singer, Armand	940012
Somès, Armand	931051
Sonolet, Louis	921117
Souday, Paul	921023, 921097, 921118, 921119,
	921120, 921121, 921122, 921123,
	921124, 922056, 922057, 922059,

	922060, 923038, 923039, 924019,
	924031, 925039, 927020, 928042,
	930065
Souriau, Maurice	927046
Spagnioli, John R.	950015
Spalikowski, Edmond	923040, 933031, 934031, 935019
Spaziani, M.	958005, 959011, 959013
Spencer, Philip	949046, 951048, 951049, 952030,
	953011, 954046, 954048, 956012,
	956060, 957041, 957061
Spitzer, Leo	951011
Stanford, Derek	957125
Starkie, Enid	950048
Steegmuller, Francis	939022, 948046, 952032, 954012,
	957126
Stein, Hanno A.	938020
Steinbrink, O.	923041
Steinhart-Lens, Helmut	952033, 955032
Steisel, Marie-Georgette	954049
Stelzer, F.	924032
Stern, J. P. M.	957127
Stern-Rubarth, E.	921125
Stevens, Ashton	936094
Stoltzfus, B. F.	957128
Stonier, G. W.	933032, 936007, 936122, 948047,
	954002
Strauss, Walter A.	948048
Strowski, Fortunat	932050
Suarès, André	922058, 926033
Suffel, Jacques	957129, 958054, 958055
Symons, A.	930008
Talva, F.	958060
Talvart, Hector	937028
Tancock, L. W.	947017, 950013
Tate, A.	944007, 944008
Tavenier, Eugène	921126
Teller, Louis	957130
Tersane, Jacques	930066, 931052
Tesnière, Lucien	950049
Tharaud, Jean	933033
Tharaud, Jerôme	933033
Thénen, Rhéa	958061
Thibaudet, Albert	921127, 921134, 924033, 927047,
	932051, 934032, 934033, 936001,
	936123, 936124, 939024, 939025,
	939026, 952034
Thieme, Hugo	930067
Thomas, J.	943027
Thorlby, Anthony	956058

Tild, Jean	951050
Tindall, W. Y.	955033
Tisserand, Roger	936012, 937011, 937012
Todd, Oliver	957131
Toffanin, Giuseppe	921135
Tolmacev, M. V.	959045
Torrès, Henry	936060
Toutain-Revel, Jacques	951051, 951052, 951053, 953012, 957132, 957133, 959046
Treich, Leon	957134
Treion, Léon	930068
Trilling, Lionel	953064, 954002
Trintzius, René	931053
Trompeo, Pietro Paolo	945027
Truc, Gonzague	932039
t'Serstevens, Alfred	926034, 946042, 947049
Tumerelle, Maurice	934034
Turiello, Mario	923042
Turnell, Martin	945028, 954050
Uberdick, Theo	947012
Ulerm, M.	946043
Ullmann, Istvan (Stephen, Etienne)	952035, 957135
Unamuno, Miguel de	928043
Urtel, H.	923043
Urzidel, Johannes	930069
Vaillant, Annette	958062
Vaillat, Léandre	922061
Valbelle, Roger	921136
Valéry, Paul	942006, 942020
Valkhoff, P.	922062
Vallery-Radot, Pierre	957136, 958063
Vandegans, André	953065
Vandérem, Fernand	922063, 923044, 926011, 927048, 928043, 931054, 933034
Van Doren, Karl	936018
Van Ghent, Dorothy	950050
Van Tieghem, P.	921129
Vanwelkenhuyzen, Gustave	930070
Varlet, Théo	927049
Vasquez-Bigi, Angel M.	959047
Vaudoyer, Jean-Louis	921137
Vaultier, R.	954051
Vaulx, Bernard de	936125
Veillé, R.	957137
Vendramin, Lorenzo	948049
Venzac, Géraud	957138, 957142
Vérard, René	959048, 959049
Vernière, Paul	938004, 950003, 957003

Adé	945011
Alexeieff, A.	957008
Amblard, J.	948002
Angiolini, Gérard	948009
Ansorge, Hortense	932003
Austen, J.	928007
Barret, Gaston	951006
Baudier, P.	924003, 943002, 945007
Bécat, P.-E	937002
Beltrand, Georges	947009
Blaine, Mahlon	922002, 931006
Böhmer, Gunter	938006
Bosschère, Jean de	924007
Boullaire, Jacques	930003, 949001
Bourdelle, Antoine	921001
Bracons-Duplessis	950001, 951002
Brechenmacher, R.	949011
Brissaud, Pierre	950004
Brunelleschi	953005
Chahine, Edgar	928010, 935001
Chaval	958001
Chessa, C.	936015
Chimot, Edouard	935004
Ciry, Michel	951003
Ciry-Breune, Jacques	952006
Claudel	930002
Commanville, Caroline	924006
Daniel-Girard	929006, 930011
Daragnès, J.-G.	942006
David, Hermine	950001
Dehay, Pierre	945010
Delignières	925006
Deluermoz, Henri	945007
DeVolvé, Laure	953002
Dollian, Guy	921004
Drouart, Raphaël	922004
Dufour, Emilien	942003
Dufrenoy, Georges	921001
Dunoyer de Segonzac, André	921001, 953004
Falké, Pierre	939002
Faudry, André	921001
Fel, William	927004
Franklin-Grout, Caroline: voir Commanville, Caroline	
Freida, Raphaël	926002

213

928006, 928007, 928008, 928009,
930004, 930005, 930006, 931002,
933001, 934003, 936018, 938006,
948005, 949007, 949008, 950004,
950005, 950006, 952005, 959002

— —critique 921014, 921041, 921047, 921055,
921063, 921076, 921083, 921087,
921095, 921111, 921121, 921136,
921142, 922024, 922029, 922036,
922042, 922044, 922046, 922053,
922066, 923014, 923036, 923045,
924012, 924020, 924034, 925009,
925011, 925031, 925036, 925043,
926027, 927034, 927038, 927039,
928020, 928022, 928023, 928028,
928031, 928033, 929017, 929024,
929029, 929030, 930024, 930035,
930046, 930057, 930059, 931037,
932015, 932018, 932034, 932047,
933003, 933005, 933018, 933022,
933024, 933029, 933036, 934005,
934007, 934009, 934013, 934017,
934020, 934021, 934022, 934030,
934035, 935006, 935009, 936029,
936031, 936034, 936035, 932036,
936108, 936112, 936114, 936124,
936125, 937017, 937021, 937026,
937027, 939005, 939008, 939009,
939014, 939022, 940003, 941010,
941015, 942015, 943008, 943019,
943020, 945019, 945021, 945022,
945024, 946029, 947025, 947029,
947034, 947039, 947042, 947045,
947047, 948015, 948016, 948022,
948023, 948027, 948035, 948040,
948041, 948042, 948043, 948044,
949015, 949019, 949023, 949024,
949035, 949036, 949037, 949042,
949046, 949047, 950020, 950021,
950025, 950026, 950039, 950041,
950042, 950048, 950050, 951012,
951013, 951016, 951017, 951020,
951026, 951028, 951029, 951038,
951039, 951044, 951046, 951053,
952012, 952013, 952017, 952019,
952022, 952024, 952026, 952036,
953040, 954013, 954015, 954018,
954019, 954021, 954024, 954028,
954032, 954036, 954037, 954039,
954041, 954042, 954051, 954053,

Périodiques cités

Académie des Sciences, Belles-Lettres et Arts de Besançon

Accent

Action et Pensée

Action Française

Aevum

Les Alcaloïdes

Alma Mater

Alsace Française

Amitiés

American Literature

American Society Legion of Honor Magazine

L'Amérique française

Les Amis d'Edouard

Les Amys du Vieux Dieppe

L'Ane d'Or

Les Annales-Conferencia

Annales de Bretagne

Annales de la Bibliothèque d'Etat Lénine

Annales de la Faculté des Lettres de Bordeaux, Bulletin hispanique

Annales de l'Institut Pédagogique de Moscou

Annales de l'Université de Paris

Annales de Normandie

Annales du Centre Universitaire Méditerranéen, Nice

Les Annales Politiques et Littéraires

Annales Universitatis Saraviensis

L'Anneau d'Or

Annuaire du Collège de France

Archer (Toulouse)

Archiv für das Studium der Neueren Sprachen

Archives Médico-Chirurgiales de Normandie

Arena

Aretusa

Artaban

Arts

Arts and Decoration

Atlantic Monthly

Atti dell'Istituto Veneto di Scienze, Lettere ed Arti

Atti e Memorie dell'Accademia toscana La Columbaria

Aufbau

Périodiques cités

Ausonia
L'Auta

La Bataille
Le Bayou
Les Belles Lectures
Berlin Börsencourier
Berliner Beiträge zur Romanischen Philologie
Berliner Börsenzeitung
Berliner Tageblatt
Bibliographie Universelle et Revue Suisse
The Bookman
La Bretagne Touristique
The Brooklyn Citizen
The Brooklyn Daily Eagle
Bulletin de la Maison du Livre
Bulletin de la Société J.-K. Huysmans
Bulletin de l'Association G. Budé
Bulletin de l'Institut Français en Espagne
Bulletin des Amis de Flaubert
Bulletin des Bibliothèques de France
Bulletin des Etudes Portugaises et de l'Institut français au Portugal
Bulletin des Lettres
Bulletin du Bibliophile
Bulletin mensuel de la Société Académique de l'Aube

Les Cahiers de l'Ouest
Les Cahiers d'Occident
Les Cahiers du Sud
Les Cahiers français
Les Cahiers naturalistes
Cahiers pédagogiques pour l'enseignement du second degré
Calcutta Review
Cambridge Journal
Candide
Capitolium
Chantecler
Chicago American
Chicago Daily News
Chicago Daily Times

Chicago Daily Tribune
Chicago Herald and Examiner
Chicago Journal of Commerce
Chicago Saturday Tribune
Chronique de la Société des Gens de Lettres
Chronique des Lettres françaises
La Chronique Médicale
Commonweal
Comœdia
Comparative Literature
Confluences
Conjonction
La Connaissance
Contemporary Review
Contributi del Seminario di Filologia Moderna dell'Università Cattolica del Sacro Cuore di Milano. Serie Francese
Cornhill Magazine
Le Correspondant
Corriere della Sera
Criterion
La Critica
Critique
La Critique Littéraire
Cuadernos de Literatura
La Cultura
Curieux
Current Opinion

Dépêche de Toulouse
Deutsche Allgemeine Zeitung
Deutsche Republik
Deutsche Vierteljahrsschrift
The Dial
Dialogues
Dissertation Abstracts International
Droit et Liberté
The Dumasian

Ecclesia. Lectures Chrétiennes
L'Echo de la Mode

L'Echo de Paris
L'Eclair
L'Ecole
Ecrivains français
Edda
L'Education nationale
L'Enseignement chrétien
Essays in criticism
L'Esprit français
Les Etoiles
Les Etudes classiques
Etudes normandes
Europe
L'Europe Nouvelle
Eve
Evidences
Excelsior
L'Express

La Fiera Letteraria
Le Figaro
Le Figaro Littéraire
Le Flambeau. Revue belge des questions politiques
Formes et couleurs
The Fortnightly Review
Le Français moderne
La France active
France Illustration
Frankfurter Zeitung
French Quarterly
French Review
French Studies

Ganymed
Le Gaulois
Gegenwart
Germanisch-romanische Monatsschrift
Germinal
Geschlecht und Gesellschaft
Il Giornale

Giornale italiano di filologia
Die Glocke
Le Goéland
Gral
La Grande Revue
Grandgousier
Grenzboten
Gringoire
La Grive
Groot Nederland Letterkundig
Guide du Concert
Guilde du Livre

Handbuch der Literaturwissenschaft
Harvard Library Bulletin
Havre-Eclair
Heidelberger Jahrbücher
Hispanic Review
Historia
Hochland
Holiday
Horizon
House and Garden
Hudson Review
Humanitas

L'Illustration
The Independent
L'Information
Information et Documents
L'Information Littéraire
Intentions
L'Intermédiaire des Chercheurs et des Curieux
L'Intransigeant

Jahrbuch des Propyläen Verlags
Jahrbuch für Philologie
Je Suis Partout
John Rylands Library Bulletin
Le Jour

Périodiques cités

Le Journal
Le Journal de Genève
Journal de Psychologie Normale et Pathologique
Journal de Rouen
Le Journal des Débats
Journal of the history of ideas
Journal of the Warburg and Courtauld Institutes

Kentucky Foreign Language Quarterly
Kenyon Review
Kölnisch Zeitung
Die Kolonne
Kwartalnik Neofilologiczny

Labo-Pharma
La Lanterne
Le Larousse Mensuel Illustré
Latvijas Universitates Raksti. Filologijas un filozofijas facultates
Lectures pour tous
Letteratura
Les Lettres françaises
Leipziger neuste Nachrichten
Leipziger Tageblatt
Der Lesecirkel
Lettres
Lettres d'humanité
Les Lettres Nouvelles
Les Lettres Romanes
Levende Talen
La Liberté
La Liberté-Dimanche
La Libre parole
Life and Letters
The Listener
Das Literarische Echo
Die Literarische Welt
Literarische Wochenschrift
Le Littéraire
La Littérature moderne
Litteris

The Living Age
Le Livre et L'Estampe
London Quarterly Review

Magazine of the Légion d'Honneur
Le Manuscrit Autographe
Marche romane
Marges
Marianne
Le Matin
Médecine de France
Mémoires de l'Académie des Sciences, Belles-Lettres et Arts d'Angers
Mémoires de la Société d'Emulation de Cambrai
Mentor
Mercure de Flandre
Mercure de France
Mercury
Le Messager de Darnétal
Modern Language Notes
Modern Language Quarterly
Modern Language Review
Modern Languages
Le Mois suisse
Le Monde
Le Monde nouveau
Il Mondo
La Montagne
The Morning Telegraph (New York)
Münchner neuste Nachrichten
Music and Letters
Musical Quarterly

The Nation
Nationalzeitung
La Nef
Neophilologus
Die Neue Rundschau
Die Neue Schweizer Rundschau
Die Neue Zeit
Die Neue Züricher Zeitung

New Republic
New Statesman and Nation
New York Daily Mirror
New York Daily News
New York Herald Tribune
New York Journal and American
New York Post
New York Sun
New York Times
New York World Telegram
New Yorker
The Nineteenth Century and after
The North American Review
Notes and Queries
Notre Vieux Lycée
Nouvelle Revue Bretonne
Nouvelle Revue Critique
Nouvelle Revue de Bretagne
Nouvelle Revue Française
Nouvelle Revue Pédagogique
Les Nouvelles Littéraires
Nuova Antologia
La Nuova Europa

L'Œuvre
Open Court
Opéra
L'Opinion
Orbis Litterarum

Paris-Match
Paris-Midi
Paris-Normandie
Partisan Review
Le Pays d'Auge
Penguin New Writing
Le Petit Journal
Le Petit Marseillais
La Petite Illustration
Philadelphia Daily News

Périodiques cités

Philadelphia Evening Public Ledger
Philadelphia Inquirer
Philadelphia Public Ledger
Philadelphia Quarterly
Philadelphia Record
Pittsburgh Post Gazette
Pittsburgh Press
Pittsburgh Sun Telegraph
Plaisir de France
Plume
Poésie
Le Populaire
Précis analytique des travaux de l'Académie des Sciences, Belles-Lettres
et Arts de Rouen
La Presse Médicale
Preuves
Proceedings of the Royal Institute of Great Britain
Le Progrès Médical. Supplément Illustré
Die Propyläen
Publications of the Modern Language Association of America

Quaderni ibero-americani
La Quinzaine Critique
Quo Vadis

Rassegna d'Italia
The Reflex
La Renaissance
La République des Lettres
Il Resto del Carlino
Revista Iberoamericana
Revista Universidad (Santa Fé)
Revue Avranchaine
Revue Belge
Revue de Champagne
Revue de France
Revue de l'Afrique du Nord
Revue de la Méditerranée
Revue de la Semaine
Revue de l'enseignement secondaire

237

Revue de Littérature Comparée
Revue de Paris
Revue des deux mondes
Revue des langues vivantes
Revue des sciences humaines
Revue des Sociétés Savantes de Haute-Normandie (Rouen)
Revue des Tabacs
Revue des Vivants
Revue d'Histoire de la Pharmacie
Revue d'Histoire de la Philosophie
Revue d'Histoire Littéraire de la France
Revue du Bas-Poitou
Revue française
Revue franco-belge
Revue hebdomadaire
Revue moderne de médecine et de chirurgie
Revue mondiale
Revue Philosophique de la France et de l'étranger
Revue Politique et Littéraire (La Revue Bleue)
Revue Stellienne
Revue Tunisienne
Revue Universelle
Revue Universitaire
Rivista de letterature moderne e comparate
Rivista d'Italia
Roczniki humanityczne
Romanic Review
Roman-Koten (Tokyo)
Romanische Forschungen
Rouen Gazette
Royal Society of Canada. Proceedings and Transactions

Saturday Review
Saturday Review of Literature
Scrutiny
Une Semaine dans le Monde
Sewanee Review
Le Siècle Médical
Sipario

Lo Smereldo
Société Havraise d'Attitudes diverses. Recueil des Publications
Société J.-K. Huysmans. Bulletin
Le Soir (Bruxelles)
South Atlantic Quarterly
Southwest Review
The Spectator
La Stampa
State University of Iowa Studies
Studi Francesi
Studies in Philology
Studies of the Warburg Institute
Stultifera Navis (Bâle)
Synthèses

La Table Ronde
Das Tagebuch
Technique, Art, Science. Revue de l'enseignement technique
Le Temps
Les Temps Modernes
Thyrse
The Times
The Times Literary Supplement
Toute l'Edition
Travaux sur Voltaire et le dix-huitième Siècle
Trivium

University of Toronto Quarterly

Vendredi
La Vie en Champagne
Vie et Language
La Vie Judiciaire
Vigile
Vivre
Vossische Zeitung
Vu

The Washington Daily News
The Washington Evening Star

Périodiques cités

The Washington Herald
The Washington Post
The Washington Times
Welt und Wort
The Wilson Library Bulletin
Wissen und Leben
Woman's Wear Daily (New York)

Yale Review
Yale Romance Studies

Zeitschrift für Ästhetik
Zeitschrift für französische Sprache und Literatur
Zeitschrift für den französischen und englischen Unterricht